AtV

Friedrich Gustav Schilling (1766–1839) war ein produktiver und zu seiner Zeit nicht nur in Deutschland vielgelesener Autor, den selbst Schiller und Wieland schätzten. Als Fünfzehnjähriger hatte er eine militärische Laufbahn begonnen, wurde 1788 Leutnant, nahm 1806 als Hauptmann an der Schlacht bei Jena und Auerstedt teil, kehrte nach der Niederlage gegen die napoleonischen Truppen jedoch ins zivile Leben zurück. Sein 1828 bis 1839 veröffentlichtes Gesamtwerk von achtzig Bänden Romanen, Erzählungen, Possen enthält auch eine Reihe erotischer Titel wie »Röschens Geheimnisse«, »Clärchens Geständnisse« oder »Julchens Schwachheiten«. Die »Denkwürdigkeiten des Herrn von H.«, die er als Einundzwanzigjähriger geschrieben haben soll und denen er das Überdauern seines Namens verdankt, sind bezeichnenderweise darin nicht enthalten.

»Ich habe mein Leben einer feurigen Umarmung des Herrn v. H. und meiner Mutter zu danken. Herr v. H. war der reichste Edelmann in G. und der letzte seines Stammes. So viele Ahnen er auch zählen konnte und ungeachtet er der letzte war, so fand er doch keine Neigung, sich zu vermählen und seinen alten Adel noch älter zu machen. Unter seinen Untertanen suchte er sich von Zeit zu Zeit ein junges Mädchen, das ihm das schönste schien, aus, ließ es von einer Bonne etwas zustutzen und vom Schneider und einer geschmackvollen Putzhändlerin bekleiden und liebte das Mädchen so lange, bis ihm ein anderes besser gefiel.

Er verstieß aber niemals eine solche sattgewordene Liebschaft gradhin, sondern bestimmt jeder nach dem Maße, wie er Vergnügen bei ihr gefunden, eine Summe zum Heiratsgut. In der ganzen Gegend umher befand sich mancher Chirurgus, mancher Schulmeister und mancher Akzise-Einnehmer in recht guten Umständen, bloß weil er des Herrn v. H. Mündel (so pflegte er eine abgesetzte Liebschaft zu nennen) geheiratet hatte.«

Gustav Schilling

# Denkwürdigkeiten des Herrn von H.

Roman

Aufbau Taschenbuch Verlag

Herausgegeben und mit einer Nachbemerkung
versehen von Wolfgang Schneider

ISBN 3-7466-1892-4

2. Auflage 2002
Aufbau Taschenbuch Verlag GmbH, Berlin

Umschlaggestaltung Torsten Lemme
unter Verwendung eines Fotos von Anja Müller
Satz LVD GmbH, Berlin
Druck Elsnerdruck GmbH, Berlin
Printed in Germany

www.aufbau-taschenbuch.de

# Erstes Buch

## Erstes Kapitel
# Der Leser lernt mich kennen

Ich habe mein Leben einer feurigen Umarmung des Herrn v. H. und meiner Mutter zu danken.

Herr v. H. war der reichste Edelmann in G. und der letzte seines Stammes. So viele Ahnen er auch zählen konnte und ungeachtet er der letzte war, so fand er doch keine Neigung, sich zu vermählen und seinen alten Adel noch älter zu machen. Unter seinen Untertanen suchte er sich von Zeit zu Zeit ein junges Mädchen, das ihm das schönste schien, aus, ließ es von einer Bonne etwas zustutzen und vom Schneider und einer geschmackvollen Putzhändlerin bekleiden und liebte das Mädchen so lange, bis ihm ein anderes besser gefiel.

Er verstieß aber niemals eine solche sattgewordene Liebschaft gradhin, sondern bestimmte jeder nach dem Maße, wie er Vergnügen bei ihr gefunden, eine Summe zum Heiratsgut. In der ganzen Gegend umher befand sich mancher Chirurgus, mancher Schulmeister und mancher Akzise-Einnehmer in recht guten Umständen, bloß weil er des Herrn v. H. Mündel (so pflegte er eine abgesetzte Liebschaft zu nennen) geheiratet hatte.

Zwar schmollte der alte Kaplan bisweilen über den Unfug und wollte nie einer solchen metamorphosierten Bauernschönen die Beichte abnehmen oder sie zum Taufstein als Pate treten lassen; allein der Oberpfarrer war in der Sache klüger und schob alles in das

Gewissen des gnädigen Herrn Patrons. Und um die bestehende Orthodoxie des alten Kaplans zu ahnden, schien er dem Herrn v. H. zu alt.

Der Herr v. H. kam einst nach G., sah das Mädchen eines Barbiers und fand sie schön. Sogleich wurde sein Kammerdiener ausgesandt, und nie, wie auch jetzt, kam dieser Merkur unverrichtetersache zurück. Der Kerl hätte an einem Fürstenhof sich durch sein gewandtes und abgefeimtes Wesen zum ersten Minister emporgeschwungen.

Das schüchterne Barbiermädchen kam gegen Abend zum Herrn v. H. und ging nach einigen Stunden wohlbeschenkt nach Hause. Nach Verlauf von zehn Wochen erhielt der Herr einen Brief von dem armen Mädchen, worin sie die Furcht vor der Härte ihres jähzornigen Vaters nach Vermögen schilderte, wenn er ihren veränderten Zustand argwöhnen sollte.

Der Herr v. H. ließ den Alten zu sich kommen und brachte ihm die Pille schön vergoldet bei. Der tobte, raste und besänftigte sich, als der Herr v. H. seiner Tochter 2000 Taler Aussteuer, Erziehung und Versorgung des Kindes versprach.

Soviel von meinem Vater und meiner Mutter.

## Zweites Kapitel

# Ein Sprung, ohne den Hals zu wagen

Der Herr v. H. hielt redlich Wort. Ich erhielt in der Stadt eine Erziehung, wie er sie seinem Sohn nur geben konnte, und keiner meiner Lehrer und Lehrmeister kam von ihm unbeschenkt zurück, wenn er ihm ein gutes Zeugnis von mir überbrachte.

Meine Mutter starb, als ich zehn Jahre alt war. Der Herr v. H. fand mich nach seinem Herzen und machte mich mit allerhöchster Genehmigung zu seinem Sohn.

Ich war siebzehn Jahre alt, als dies geschah, und ich dächte, meine Leser hätten nun einen ziemlichen Sprung gemacht, ohne daß das zarteste Glied in Gefahr gewesen wäre.

## Drittes Kapitel
## Ein Wörtchen von mir

Man sagt, die meisten Kinder, die einer zufälligen Umarmung, wo der erste Anblick die Leidenschaft in höherem Grad entflammte, ihr Dasein zu danken haben, hätten flüchtigeres Blut, zartere und reizbarere Nerven, wären empfänglicher für alle Eindrücke und was weiß ich, was sie alles mehr sein und haben sollen als die Kinder einer Umarmung, zu der der Mann so bedächtig und zu bestimmter Zeit schreitet wie der alte Tristram Shandy, der den Sonnabend dazu angesetzt hatte, an dem er allemal seine Wanduhr aufzog, um durch eins oder das andere an eins oder das andre erinnert zu werden.

Wie dem nun sei, so muß ich sagen, daß mir meine gute Dosis der Leidenschaft, der ich meine Existenz schuldig bin, zuteil geworden ist. Früh schon fühlte ich ein Feuer in meinen Adern und eine Unruhe in meiner Brust, die mir manche unbehagliche Stunde machten. Gern bespiegelte ich mich in den Augen eines jungen Mädchens, nahm es noch lieber bei der Hand, und hatt' ich Gelegenheit, ihre Wangen oder gar ihren Mund zu küssen, so versäumt' ich das noch weniger. Das geschwindere Klopfen meines Herzens, das Beengen meiner Brust, das Aufschwellen aller meiner Muskeln, das Erschüttern in allen meinen Gliedern waren mir eine gar zu angenehme Empfindung, als daß ich die kleinste Gelegenheit hätte vernachlässigen sollen, die sie mir erregen konnte.

Ich war ohne Aufseher, ohne mürrischen Hofmeister; meine ganz artige Figur, mein munteres, flüchtiges, schmeichelndes und einnehmendes Wesen, wie konnt' ich also nicht oft Gelegenheit finden?

## Viertes Kapitel
## Das will ich mir merken

Ich war siebzehn Jahre alt, wie mich mein Vater zu seinem Sohn erklärte. Es war ein großes Fest, das acht Tage dauerte. Eine Menge des benachbarten Adels war zugegen. Auch gnädige Frauen und Fräuleins; denn so sehr auch diese anderswo oder zu Hause darüber skandalisierten, daß die Liebschaft meines Vaters gleich einer rechtmäßigen Gemahlin an der Tafel saß, so konnten sie doch nicht leicht eine Einladung ausschlagen, weil in der ganzen Gegend umher keine so gut besetzte Tafel, keine so wohl schmeckenden Weine und keine so herrliche Musik anzutreffen waren als bei Herrn v. H. Ich hatte einen vergnügten Tag gehabt, hatte mit den gnädigen Fräuleins viel gescherzt und mehr als ein Dutzend Küßchen eingeerntet und hatte ein Glas Wein mehr getrunken als gewöhnlich; was Wunder, daß mein Blut in ungewöhnlicher Wallung war, als ich in mein Schlafzimmer kam, und daß nach stundenlangem Harren sich noch kein Schlaf einstellen wollte.

Mein Schlafkabinett war neben dem meines Vaters und nur durch eine Wand geschieden. Ich hörte meinen Vater sprechen: »Lilla, du bleibst lange aus.« Ich muß meinen Lesern sagen, daß der Herr v. H. gewohnt war, seinen Liebschaften einen Namen beizulegen, so wie er ihn etwa passend fand, und die dermalige hieß also Lilla. Ich fuhr von meinem Bett auf, als ich die Stimme von Herrn v. H. so deutlich hörte, und bemerkte erst jetzt durch einen Lichtstrahl über den Boden meines Kabinetts, daß die Tür nicht ganz zu war. Ich schlich mich näher und konnte eben durch die Öffnung meines Vaters Bett sehen und noch besser links einen sehr großen Spiegel, neben dem zwei große Wachskerzen auf Wandleuchtern brannten. Mich überfiel es so ängstlich, so ahnungsvoll, und meine Beine schlotterten, ich sank auf die Knie, und wie angenagelt blieb ich vor meiner Öffnung.

Lilla trat in einem weißen, einfachen Kleid vor den Spiegel, steckte ihre Haare los, und eine lange, schwarze Wolke wallte über ihre Schultern hin.

»Ich mußte mich doch erst auskleiden lassen«, sagte sie.

Herr v. H. trat, in einen Schlafrock gehüllt, herbei, schlang seinen Arm um ihren Nacken und küßte sie.

Herr v. H.: »Und wieder so sorgsam angekleidet, als ob es zum Tanz und nicht zur Ruhe gehen sollte.«

Lilla: »Wollen Sie das nicht von Ihrer Lilla?«

Herr v. H.: »Damit ich dich entkleiden kann.«

Und damit zog er ihr das Halstuch ab, jede Nadel ward ihres Dienstes entlassen, nieder fiel das Kleid, und Lilla stand in bloßem Hemd da.

Mein Atem ward kurz.

Lilla kehrte mir den Rücken zu, schlang beide Arme um den Herrn v. H., und Kuß um Kuß, mattes Sinken auf seine Schulter und tiefes Atmen machten mich starr. Lilla ließ die Arme sinken, ab fiel das Hemd, und mir verging Hören und Sehen.

Als ich mich wieder erholte, sah ich – meine Leser müssen glauben, daß ich mich in einem ohnmächtigen Zustand befunden hatte, wie lange, kann ich nicht sagen.

Als ich mich also erholte, sah ich meinen Vater auf dem Bett liegen. Er war mit der rechten Hand beschäftigt, ich war neugierig, zog an der Tür, und zu meiner Befriedigung öffnete sie sich ganz sanft.

Ich sah –

Lilla lag auf dem Rücken, beide Schenkel erhoben, und die Hand meines Vaters spielte an einem Teil.

Er erhob sich, bedeckte Lilla, und ich sah nichts als ein Steigen und Sinken seines Hintern und über seiner linken Hüfte das weiße Bein Lillas.

Was ist das?

Ihr Atemholen wurde lauter. Ich horchte. Leises Stöhnen folgte, ward lauter und verschwand mit einem lauten Ach! –

Was ist das?

Herr v. H. legte sich wieder an seine Stelle, Lilla küßte ihn und zog die Decke über beide.

Daß mich meine erhitzte Einbildungskraft nicht viel ruhen ließ, ist leicht zu erraten.

Das will ich mir merken, sagt' ich zu mir selbst, sooft ich mich von einer Seite auf die andere legte und immer vergebens auf Ruhe hoffte.

## Fünftes Kapitel
# Ein Schritt weiter

Zufällig hatte ich bisher vermöge meiner gefallenden Person Zutritt in mancherlei Gesellschaften gehabt, weswegen ich den Zusammenkünften meiner Mitschüler äußerst selten beiwohnte und also vom Unterschied beider Geschlechter nur sehr dunkle Begriffe hatte.

Nun aber malte mir meine Einbildungskraft mancherlei Bilder vor, und ich fühlte ein brennendes Verlangen, näher zu untersuchen und mich zu belehren, was eigentlich wohl den Unterschied ausmachte.

Ich kam wieder in die Stadt. Ich wohnte bei einem jungen Kaufmann, der etwa vor einem Jahr eine sehr angenehme Person geheiratet hatte. Ein junges Mädchen etwa von vierzehn Jahren bediente meine junge Wirtin und besorgte auch meine kleinen häuslichen Angelegenheiten. Lieschen sollte mir meine Zweifel aufklären, nur war die Frage, wie ich es ihr vortragen sollte. Lieschen war eine kleine Brünette, munter und lebhaft und dabei herzlich gesprächig, besonders wenn sie ihre Frau nicht in der Nähe wußte. Ein längst gewünschter Tag, wo Madame Reibhand einmal zum Besuch ausgehen würde, erschien. Lieschen brachte mir Kaffee. Ich nahm ihre Hand und sah ihr starr ins Gesicht. Ich wollte reden und fand keine Worte.

Lieschen: »Was sehen Sie mich so an?«

Ich: »Ich bin Ihr so gut, mein Lieschen.«

Lieschen: »I, das ist mir recht lieb.

Ich: »Ist Sie mir denn auch etwas gut?«

Lieschen: »Warum nicht?«

Ich: »Will Sie mir wohl ein Küßchen geben?«

Lieschen: »Soso! – Das nun eben nicht.«

Ich: »Und warum nicht?«

Lieschen: »Still, Herr v. H., die Köchin möcht' es hören. Warten Sie, sie geht dann aus, ich will Ihnen dann was sagen.«

Lieschen ließ sich willig küssen und hüpfte fort. Gewonnenes Spiel, dachte ich und phantasierte brav, wie ich's anfangen wollte.

Ich legte mich aufs Bett. Lieschen kam, ich zog sie neben mich, schlang meinen Arm um ihren Hals, und ein, zwei, drei Küsse, die ich unter lässigem Sträuben auf ihren niedlichen Mund drückte, erweiterten meine Lunge so, daß ich fast keine Luft schöpfen konnte.

Lieschen: »Was fehlt Ihnen?«

Ich: »O Lieschen, ich bin dir so gut.«

Lieschen: »Mir? Und nicht Madame?«

Ich: »Wieso Madame?«

Lieschen: »Oh, ich dachte nur, weil die Ihnen so gut ist und immer nach Ihnen fragt und von Ihnen spricht.«

Ich: »Laß das, Lieschen! – Willst du mir wohl etwas zu Gefallen tun?«

Lieschen: »Recht gerne.«

Ich fuhr mit meiner Hand unter ihren Rock; sie stieß mich zurück.

Lieschen: »Was wollen Sie?«

Ich: »Ich glaubte, du wolltest mir etwas zu Gefallen tun!«

Lieschen: »Nun ja, aber – was wollen Sie?«

Sie sah mich an, entfärbte sich und schien meine Absicht zu erraten. Ich wiederholte meinen Versuch und ward wieder zurückgestoßen. Nun aber überwältigte mich meine Begierde, ich schloß das Mädchen in meine Arme, streckt' es unter mich aufs Bett, und wie wütend bedeckte ich es mit Küssen. Das arme Mädchen schnappte nach Luft, ihre Augen verkleinerten sich, sie wollte sprechen und konnte nicht. Es glückte mir, meine Hand unter ihren Rock zu bringen, ich glitschte an den runden, festen Schenkeln hinan, ich suchte den Ort, den die Hand meines Vaters an Lilla so umschmeichelt hatte, und auch das gelang mir. Wie aber meine Finger eine sanfte Wolle berührten und sich in eine enge Spalte verirrten, so durchfuhr es gewaltig meinen ganzen Körper, und meinem Amor entfloß ein Etwas, daß ich noch nicht kannte, meine Augen verloren das Sehvermögen, ich versank in eine wollüstige Ohnmacht und empfand ein unbeschreibliches Vergnügen.

Lieschen hatte sich losgemacht, sie sah mich an.

Lieschen: »Was fehlt Ihnen?«

Ich: »Lieschen, welch ein unbeschreibliches Vergnügen!«

Ich schloß sie aufs neue in meine Arme.

Ich: »Noch einmal, Lieschen, laß mich den schönsten Ort deines Körpers befühlen, noch einmal, bitte!«

Ich bat so dringend und mit so vielen Küssen, daß Lieschen sichtbar schwach wurde und meiner Hand ganz freien Lauf ließ. Die kleine Spalte war feucht, mein Finger untersuchte und fand eine Öffnung, drang hinein, und Lieschens Atem ward kürzer; sie schlang beide Arme um mich, drückte mich ganz fest an sich, schloß ihre Augen, der Atem zitterte jetzt aus ihrem Mund, und ein warmes flüssiges Wesen bedeckte meine Hand.

»Nun, Lieschen?«

Sie entwand sich meinen Armen und entsprang.

## Sechstes Kapitel

# Das war ein Schritt!

Ich lag Lieschen von nun an beständig an, mich doch einmal mit in ihre Kammer zu nehmen; denn zu mir durfte sie nicht wagen zu kommen, aus Furcht, Madame, die gleich nebenan schlief, möchte rufen. Allein, immer vergebens. »Genug«, sagte sie, »daß ich Ihnen das erlaube.« Nun war freilich das schon ein außerordentliches Vergnügen, daß meine Hand alle Freiheit genoß; allein, ich hatte Lilla an der Seite meines Vaters nackend und dann in besonderer Positur gesehen.

Herr Reibhand war auf der Messe.

Es war elf Uhr, schon eine Stunde lag ich in meinem Bett, als etwas meine Tür öffnete, vor mein Bett trat und mich mitzukommen nötigte. Es war Lieschen. Herausspringen und folgen war eins.

»Kommen Sie«, sagte sie zu mir, »und sehen Sie, ob meine Frau schöner ist als Lilla, von der Sie mir erzählt haben.« Wir kamen in die Kammer. Sie führte mich an die Tür, in der ein kleines Loch war; gewiß zu einem anderen Behuf bestimmt, als daß jetzt Madame belauscht wurde.

Sie saß rückwärts auf einem Armsessel, hatte die Schenkel auseinander die Füße auf zwei Stühle gestützt, und spielte an ihrer Liebesgrotte. Endlich fuhr sie mit einem Finger hinein, fuhr langsam hin und her, dann geschwinder und endlich unter beständigem Hin- und Herbewegen des Hintern so geschwind, daß es mehr ein Zittern als Hin- und Herfahren war. – Feuer durchglühte mich über und über.

Lieschen lauschte am Schlüsselloch. Ich griff nach ihr hin, sie war mehr heiß als warm, meine Hand suchte und traf ihren Finger in ihrem niedlichen Liebestempel.

Nur zwei Schritte davon stand ihr Bett; die Nacht war hell genug, um nicht anzustoßen; ich umfaßte sie, trug sie aufs Bett, legte ihre Schenkel auseinander und mich zwischen hin. Kein Widerstand. Ich entledigte mich meines Hemdes, und nun schloß ich mein Mädchen fest an meine Brust, suchte mit meinem Amor Lieschens Grotte zu treffen und kam bald zu hoch, bald zu tief und immer fehl. Das Berühren und Bewegen brachte mich von Sinnen, ich schnaubte und arbeitete, und die alten Gurte an Lieschens Bett, die ein solches Beben nicht gewohnt sein mochten, zerrissen und fielen durch. Allein, nichts brachte mich zu mir selbst, ich arbeitete fort, als auf einmal Madame, die die Erschütterung gehört hatte, mit dem Licht in der Hand in einem Schlafrock hereintrat. Der Lichtschein schreckte mich auf einmal auf, ich ergriff die Flucht, verfehlte aber in der Wut die Tür, sprang durch die Wohnstube in Madames Schlafkabinett und wußte im Dunkeln nicht, wo ich eigentlich war. Ich tappte und tappte und fand keinen Ausgang.

Wie Madame dem halbtoten Lieschen den Abendsegen gelesen und eine handgreifliche angenehme Ruhe gewünscht hatte, so hörte ich die Tür verschließen. Sie trat aus ihrem Schlafgemach ins Wohnzimmer und machte auch diese Tür zu.

Hier stand ich armer Sünder nun nackend wie aus

dem Mutterleib, mit steifen Nerven (denn aller Schrekken war nicht vermögend gewesen, ihnen die Spannkraft zu rauben), und hätte vor Scham in die Erde sinken mögen.

Madame betrachtete mich genau.

»So, Herr v. H., wahrlich, das gefällt mir! In einem solchen Aufzug! Das Vergnügen hätt' ich ja wohl nie gehabt, wenn Sie die Uberraschung nicht die Tür verfehlen ließ.«

Ich vermochte keinen Laut hervorzubringen.

»Nun, Sie möchten sich erkälten, ich verzeihe Ihnen, weil Sie mich in diesem Aufzug vergnügen, doch unter der Bedingung, daß ich Sie nie wieder so betreffe. Kommen Sie!«

Sie führte mich an die Tür, machte auf, und ich eilte durch, und erst, wie sie hinter mir zuschloß und laut lachte, sah ich, daß ich wieder in einem anderen Zimmer war.

Ich war und blieb stumm.

Madame stellte das Licht hin, näherte sich mir, legte ihre Hand auf meine Schulter und sagte:

»Herr v. H.! Strafe muß sein! Indessen hoff' ich, daß Sie am Ende sich nicht über meine Härte beschweren sollen.«

Sie nahm mich, führte mich ans Bett und nötigte mich zum Legen. Ich war zweifelhaft, und sie legte mich selbst, ließ den Schlafrock fallen und lag neben mir.

Unbeweglich lag ich da.

»Finden Sie denn an mir nicht so viel Schönes«, hub sie endlich an, indem sie meine Hand auf ihren wallenden Busen legte, »als an Lieschen?«

Das Sanfte des Busens erheiterte mich. Oh, ich kannte

damals noch nicht den Wert eines schönen Busens! Ich erhob mich und wagte einen Kuß der mir doppelt erwidert wurde und meine ganze Begier aufs höchste reizte.

»Schöne Frau«, stockt' ich endlich, »ich bin außer mir; haben Sie Mitleid mit mir.«

»Sie glühen!«

Sie rückte näher, entblößte sich, spreizte die Schenkel auseinander und führte meine Hand über krauses Haar zum niedlichsten Tempel der Wollust. Ich geriet außer mir, stürzte über sie hin und stieß mit meinem Amor immer fehl. Ich Armer wußte mich nicht zu benehmen.

»Nicht so hitzig, Lieber«, sagte meine Schöne, »sparen Sie Ihre Kräfte – Geduld, halten Sie ein –«

Ich hörte nicht mehr.

Endlich gelang es ihrer schönen Hand, meinen Amor zu erhaschen, ich schnaubte, sie hob sich etwas, und glücklich führte sie ihn in die Grotte der Wollust.

Aber kaum war ich drin, so verlor ich alles Gefühl in den übrigen Teilen meines Körpers, das sich allein in meinen Amor konzentrierte; er strömte, und in Wollust betäubt lag ich in ihren Armen. Sie spielte an meinen Haaren, küßte mich von Zeit zu Zeit, befühlte meinen bloßen Körper und brachte mich durch Tändeln wieder zu mir selbst.

»Nun, Herr v. H.?«

Ich verbarg mein Gesicht auf ihrem Busen und wagte vor Scham nicht aufzublicken.

»Bald sollt' ich glauben, lieber Jüngling, daß Sie mir die Erstlinge Ihrer Keuschheit gebracht haben; warum verbergen Sie Ihr Gesicht?«

Sie hob mich auf und legte mich neben sich und stützte sich auf ihren linken Arm und hatte also meine ganze Figur vor sich liegen.

Mein kleiner Amor hatte sich schon wieder gehoben und stand aufgerichtet da.

Sie nahm ihn in die Hand, wie ein Blitz durchfuhr es alle meine Glieder, sie lächelte, und indem sie sich über mich hindrückte und mich küßte, sagte sie: »Schöner Jüngling, feurig bist du, aber zaghaft und verschämt und stumm. Sei dreist und glaube, daß die Neckereien und Scherze den Genuß der Liebe versüßen.«

Ich armer unwissender Knabe!

Indessen wirkte diese Aufmunterung doch so viel, daß ich meine Hände in Bewegung setzte. Ich streichelte ihre weiche Haut, kniff ihre runden und festen Hinterbacken und suchte und erreichte die zart bemooste Quelle der Liebe.

Sie drückte mich fest an sich, und je mehr meine Finger beschäftigt waren, je heißer wurden ihre Küsse und je mehr schwoll jeder Muskel meines Körpers.

Sie legte sich, gewaltig hob sich ihr Busen, und mit gierigen Blicken sah sie nach mir hin.

»Nur nicht so hitzig, Lieber«, sagte sie, »etwas langsam, und lassen Sie mich nicht auf dem halben Weg des Vergnügens zurück.«

Wie mochte sie mir zumuten, daß ich das verstehen sollte? Sie tat ihre Schenkel voneinander, ich stieg dazwischen; sie zog das linke Bein an, sich zu stützen, nahm meinen kleinen Amor und führte ihn in die Grotte (ich schauderte) und schlang ihr rechtes Bein über meine Hüfte.

So ungefähr hab' ich Lilla gesehen, dacht' ich.

»Langsam, Lieber! Halt! Küssen Sie mich: eins, zwei drei! – Nun wieder! – Nicht so ge – «

Sie fing an zu keuchen, schluckte, ihre Lippen bebten, der Atem stockte, die Augen brachen – fest umschloß sie mich und erwiderte jeden Stoß mit solch einer Heftigkeit, daß sie mich bisweilen ganz emporhielt.

»Fort, ge – schwind – der – a – a a – – a a a – ach! – «

Mein kleiner Amor war über und über gebadet, und meine Schöne schloß die Augen und blieb unbeweglich; und nun entlud ich unter den heftigsten Stößen in dem größten Übermaß. Meine Schöne schnappte nach Luft und schlang, als ob sie es hinunterschlingen müßte.

Kraftlos lag ich in ihren Armen.

Das war doch ein Schritt, meine Herren, und ein ziemlich langes Kapitel!

## Siebentes Kapitel

# Enthält mancherlei Betrachtungen

Ich müßte mich sehr irren, oder vielmehr meine Erfahrungen müßte ich hintergehen, wenn mich nicht mancher meiner Leser herzlich beneidete.

Wie viele junge Männer haben bei dem heftigsten Trieb keine Gelegenheit, ihre Erstlinge auf dem Altar der Liebe zu opfern! Wie vielen fehlt der Mut! Daher so mancher die schönsten Kräfte seiner Jugend mit eigener Hand vernichtet und in eigenem Feuer aufgehen läßt.

Mir half der Zufall und feuerte meinen Mut an.

Vielleicht wäre Madame nie so gefällig gegen mich gewesen, hätte sie mich nicht überrascht und hätt' ich mich nicht in ihr Zimmer verirrt. Absicht war es nicht von mir, meine Begierden hatten mich blind gemacht. Vielleicht war es auch gar nicht ihre Absicht, mich in ihr Heiligtum einzuführen, wär' ihr nicht mein trotziger, aufrechtstehender Amor in die Augen gefallen, der ihren Zorn besänftigen und ihre Lust reizen mochte. Gute Gelegenheit und Zufall verschaffen mehr Siege als angestrengte Mühe; das hab' ich oft erfahren und werde es meinen Lesern mitteilen.

Mein Temperament war nun einmal so, und wäre ihm die Gelegenheit entgangen, so würde ich gewiß auch wie Tausende Jünglinge, Mut und Kraft durch die Hand spritzen, Körper und Seele schwächen, und würde zum trägen, mißmutigen und unzufriedenen Geschöpf, das mehr einem Kastraten als einem Mann gleicht, wie wir deren so Viele sehen – anstatt ich jetzt in einem Alter von sechzig Jahren noch munter und stark bin, drei Stunden herzhaft marschieren und den ganzen Tag zu Pferde sitzen kann, heiter meine Tage zubringe, mit Lust esse und trinke und sanft die Nacht durchschlafe.

Fern sei es von mir, daß ich alles, was ich meinen Lesern erzählen werde, für recht halte; wie reimt sich das mit einem feurigen Jüngling zusammen? Gar so gern und oft kann er nicht anders, folgt er seiner Begierde und überschreitet die Schnur. Daß ich für den Menschen etwas anderes in Anspruch nehme, als ihm die Systeme der Moral und besonders der Theologie vorschreiben, versteht sich von selbst.

## Achtes Kapitel

## Hier wird ein Kontrakt geschlossen

Wie mir Lieschen den anderen Morgen den Kaffee brachte, weinte sie.

»Was fehlt dir, mein Lieschen?«

»Fragen Sie noch? Unglücklich bin ich, Madame will mich aus dem Dienst jagen, und nun bin ich beschimpft.«

»Armes Mädchen!«

Ich nahm sie in meine Arme und küßte sie ohne allen Widerstand. Ich glitschte mit meiner Hand unter ihren Rock, und sie hinderte es nicht. Der kleine, mit Wolle eingefaßte Eingang in die Liebesgrotte – ich fand ihn verschieden von dem der Madame.

»Lieschen, auf mein Bett, komm!«

Ohne Weigerung folgte sie mir, Madame schlief noch. Ich legte sie auf den Rücken, deckte sie auf; beschämt hielt sie die Hand vor das Gesicht und kreuzte die Schenkel.

»Nein, sehen sollen Sie nicht!«

Geschwind hingen meine Hosen über die Knie, ich streckte mich über Lieschen, küßte sie, öffnete mit meiner linken Hand ihre Schenkel und führte meinen Amor in die Spalte. Ich stieß an die Pforte der Grotte und stieß wieder und wieder und konnte nach aller Anstrengung nur einen Fingerbreit eindringen, als mir der Lebenssaft entging. Kaum fühlte sich Lieschen befeuchtet, als ihr Auge, das bisher von Tränen glänzte, überfloß. Sie schauderte und zitterte an allen Gliedern. und schwächer und schwächer ward ihr Atem.

Lieschen ging.

Noch war ich in tiefes Nachdenken versunken über die Ursache, warum ich wohl bei Lieschen bloß in der Vorhalle der Liebesgrotte hatte opfern können, als Lieschen hereintrat und mir sagte, daß mich Madame sprechen wollte.

Heiß überlief es mich; ich küßte Lieschen flüchtig und eilte hin.

Madame saß in einem leichten kattunenen Neglige, sie errötete bei meinem Eintreten, und ich machte eine steife Reverenz und fragte stotternd, was zu ihrem Befehl stände.

»Setzen Sie sich neben mich und trinken Sie einen Becher Schokolade mit mir.«

Ich gehorchte.

Madame: »Werden Sie auch schweigen können?«

Ich: »Könnten Sie das Gegenteil denken?«

Madame: »Ich will es nicht! – Aber – – Ich will Sie nun auch allein haben und werde Lieschen fortschikken, ich hab' es ihr schon angesagt.«

Ich: »Wäre das wohl ratsam? Das arme Mädchen ist unschuldig.«

Madame: »Können Sie mir das versprechen, und wollen Sie's auch gewiß halten, daß Sie sich nicht mehr mit ihr abgeben wollen?«

Ich: »Ja, gewiß!«

Madame: »Und das so kalt! – Nicht einen Kuß darauf?«

Ich fiel ihr um den Hals und küßte ihren schönen, roten, aufgeworfenen Mund.

Sie zog den Stuhl näher und führte meine Hand an ihre runden festen Hügel der Liebe. Ich drückte, streichelte sie, fühlte, wie sie sich nach und nach erwärmten und unter meinen Händen eine wellenartige Bewegung erhielten.

Sie küßte mich oft, sah starr in meine Augen, spielte an meinen Haaren und biß mich sanft bald in die Wangen, bald in die Lippen.

»Sie sind auch so wenig dreist, lieberJunge!«

Ich glaubte sie zu verstehen, deckte ihren leichten Rock auf, streichelte den so weißen, runden, festen Schenkel, sie legte ihn über die meinigen hin, und meine Hand gelangte hin, wo sie sie haben wollte.

»Das ist unbefriedigend, kommen Sie.«

Sie war feurig. Wir legten uns aufs Bett, und sie entließ mich mit großer Zufriedenheit.

Ob ich mein Versprechen in betreff Lieschens gehalten habe, wird eines der folgenden Kapitel lehren.

## Neuntes Kapitel
## Eine ganz artige Aussicht

Ein benachbarter Edelmann, Herr v. G., gab ein großes Fest, und ich ward auch dazu eingeladen, wie das jetzt immer von meines Vaters Bekannten und Freunden geschah, seitdem ich seinen Namen führte.

Es war große Gesellschaft, und ich hatte viel Gelegenheit, mich an den schönen Damen zu vergnügen und durch meine Munterkeit ihren Beifall zu erhalten.

Eines Abends war Ball, und das Los teilte mir eine junge Offiziersdame als Tänzerin zu. Eine lebhafte, feurige Brünette mit großen, schwarzen, fordernden Augen. Ich erhielt ihren Beifall. »Tanzen Sie deutsch?« fragte sie mich, als eben die Musik eine Pause machte. »Deutsch«, rief ich laut und rollte meine Tänzerin wie einen Kreisel dahin. Der Tanz hatte um so vergnügter für mich geendigt, weil meine schöne Tänzerin während des Walzens ihr Gesicht auf eine sehr geschickte Art dem meinigen zu nähern und nicht selten meine Lippen mit den ihrigen zu berühren wußte.

»Sie tanzen leicht und gut«, sagte sie lächelnd, als wir ans Fenster traten, »und lernen Sie erst kleine Zwischenspiele, so werden Sie vortrefflich tanzen.«

Halb glaubte ich sie zu verstehen.

Am anderen Tag nach aufgehobener Tafel nahm mich meine Brünette beiseite und sagte: »Man ist hier gewohnt, Mittagsruhe zu halten, und wir wollen promenieren; in der Laube am großen Teich treffen Sie mich.«

Mir ahnte mein Glück nur zum Teil.

Gleich am Schloß war ein großer Garten, voll artiger Partien, dunkler Gänge, Grotten und Lauben. Am Ende zu beiden Seiten waren große Schneckengänge mit hohen Buchenhecken umgeben und in der Mitte ein Springbrunnen mit einer breiten, abhängigen Roseneinfassung.

Ich traf meine Schöne in der Laube am Teich. Sie hatte ein leichtes weißes Kleid angezogen. Sie nahm mich am Arm, und unser Weg ging nach dem Schneckengang zur Linken hin.

»Haben Sie wohl schon geliebt, junger Herr?« fragte sie mit boshaftem Lächeln, als sie meine Verlegenheit größer finden mochte, als sie geglaubt hatte.

Ich fühlte es, wie rot ich ward.

»Gnädige Frau«, erwiderte ich, »und wenn ich nie geliebt hätte, so würd' ich jetzt lieben!«

Ich schlang dabei meinen rechten Arm um ihren weichen Körper und wagte einen Kuß auf ihre Korallenlippen.

Wie ein Blitz durchfuhr mich's, als ich im Kuß etwas zwischen meine Lippen eindringen fühlte. –

Was war das?

Ich kannte noch nicht den Zauber eines Kusses und das wollüstige Zungenspiel.

Wir waren an dem Springbrunnen angelangt, meine Schöne setzte sich auf den weichen Rasen und zog mich neben sich.

»So würden Sie jetzt lieben«, sagte sie, indem sie mich starr ansah, »und sitzen doch so mutlos bei einer Dame?«

Ich schlang meinen Arm stillschweigend um ihren Nacken, küßte sie, spielte an ihren Busenschleifen, zog eine nach der anderen auf und fühlte ein wohltätiges Schmachten, wie meinen Händen die milchweißen Hügel entgegenhüpften. Meine Schöne legte sich hin und schien nichts weniger als Mißbehagen an meiner Spielerei zu finden.

Ich küßte sie, und sie schlang ihren Arm um meinen Nacken, hielt mich fest auf ihrem Mund, sog an meinen Lippen, schnellte mit der Zunge, und bald lernt' ich das alles erwidern und fand dieses Spiel ungemein vergnügend.

»Meine Augen fallen mir zu«, sagte sie endlich, »ich werde schlafen, wachen Sie.«

Und wirklich schloß sie ihre Augen.

Mit Entzücken betrachtete ich ihren weißen runden Hals, meine Neugier ging weiter, leise entblößte ich den vollen Busen, betrachtete mit Wonnegefühl die beiden milchweißen Hügel mit den niedlichsten Rosenknöspchen; unwillkürlich zog etwas meine Lippen auf diese Schönheit; ich küßte sie und erschrak, weil ich besorgte, meine Göttin möchte erwachen und zürnen.

Sie schlief fort.

Mein Auge fiel herab, sah den schönsten Fuß und die niedlichste Wade.

Sie schläft ja. Ich rückte näher, hob den dünnen Rock über das Knie – wie rund! Schob ihn wieder – wie bezaubernd der Schenkel!

Betritt einmal ein feuriger Jüngling diesen Weg, so will er zwar bei jedem Schritt aufhören, aber wie könnte er das? Nur noch einen Schritt, sagt er sich bei jedem und schreitet immer fort.

Ich bückte mich tief und hoffte, den Thron der Wollust zu erblicken, allein umsonst; sie lag etwas auf der Seite und die Schenkel waren übereinander.

Ein schwerer Seufzer stieg aus ihrer Brust, sie bewegte sich, und erschrocken fuhr ich an meinen Platz.

Sie schlief fort, und zu meiner Wonne hatte mir die Bewegung die schönsten Aussichten verschafft. Sie lag auf dem Rücken, und der leichte Rock war über die Schenkel, dadurch daß sie das eine Bein etwas an sich gezogen hatte, auf ihren alabasterweißen Leib gefallen. Bloß und etwas auseinander waren die Schenkel. Dort sah ich nun unter einer leichten Wölbung der Liebe Rosenhain; mehr, doch leise, öffnete ich die Schenkel und sah jetzt durch den Rosenhain zwei niedliche rosenrote Linien, und hätte es mein Leben gekostet, so konnt' ich nicht meine Hand zurückhalten. Ich wühlte in dem Gebüsch, berührte die elastischen rosenroten Linien, die bei jeder Berührung mehr Schnellkraft zu erhalten schienen.

Wütendes Feuer ergriff mich, mein Amor ward unbändig, ich seufzte laut, und meine Schöne erwachte.

»Unerfahrener Ritter«, sagte sie lächelnd, »wie wenig Sie sich Ihres Vorteils zu bedienen wissen!«

Ich schlug die Augen nieder, richtete mich auf die Knie, und hastig zog sie mich über sich hin, kaum, daß ich Zeit hatte, meine Beinkleider abzustreifen.

Sie sog und biß meine Lippen, ihr Hintern schwebte in der Höhe, und ich war fehl. Mit eigener Hand führte sie mich zurecht, und ich hielt triumphierenden Einzug.

Meine Brünette hatte mehr Erfahrung als Frau Reibhand, vermutlich, weil sie eine Dame von Stand war. Ihre Hände waren immer beschäftigt, bald strich sie meine Schenkel, bald rieb sie mein Rückgrat, bald kniff sie mich in die Backen, bald schnellte ihre kleine Zunge durch meine Lippen.

»Ach! Etwas nach –«

Sie hob ihren Hintern höher.

»Nach – so a … a.«

»Lieber, ei – nen Kuß!«

»I – ich gnäd –«

»Nur noch –«

»Wel – che Won –«

»Noch –«

»Ach!«

Beider Vergnügen vereinigte sich in eins. Ich muß bekennen, daß dieses Vergnügen noch alles übertraf, was ich bisher genossen hatte. Die Entladung von beiden Seiten war ungewöhnlich stark. Als ich mich von meiner Ohnmacht erholt hatte, richtete ich mich auf. Meine Brünette behielt ihre Lage. Mit Wollust besah ich das Gestade des Wonnemeeres, ein milchweißes Schäumchen umgab es. Ich befühlte die sanfte Erhöhung, den samtenen Leib, küßte den niedlichen Nabel.

»Brav, Lieber, Sie werden lernen, eine Dame zu vergnügen; nur mehr dreist, erlauben Sie sich alles, was Ihnen Ihre Einbildungskraft eingibt.«

Sie nahm meinen Amor in die niedliche Hand – stolz darauf, stand er hart wie ein Ast.

»Wirklich! Es macht Ihnen Ehre, nach einer so starken Ergießung, wodurch Sie mein ganzes Wesen in wonniges Beben versetzt haben, noch so viel Kraft zu besitzen.«

»Gnädige Frau, Reize wie die Ihrigen flößen Leben und Stärke auch dem schlaffsten Körper ein.«

»Mein lieber Junge, wo Erschlaffung zu Hause ist, vermögen alle Reize nichts. Halte sorgfältig haus, strenge dich ja nicht so früh an, willst du dir nicht das Vergnügen vieler Jahre vergeuden. Küsse mich, Lieber!«

Unser Zungenspiel begann, und bald ward es mir zu einfach, ich suchte mehr.

»Schonen Sie sich, Lieber, sparen Sie's bis auf die Nacht, ich erwarte Sie in meinem Zimmer. Kommen Sie ohne weitere Kleidung als Ihrem Schlafrock.«

»Ich werde gehorchen; aber jetzt –«

Schon hatte ich mich des Throns bemächtigt und bewies meiner Brünetten, daß mich meine erste Entladung nichts weniger als geschwächt hatte.

## Zehntes Kapitel

## Der Herr geht fehl, wird aber zurechtgewiesen

Es war verabredet, daß ich meine schöne Brünette die Nacht besuchen sollte, und ich machte mich auf den Weg, sobald alles Geräusch sich legte.

Ich öffnete das Zimmer und wunderte mich, daß meine Schöne kein Licht hatte. Fest überzeugt, daß ich im rechten Zimmer bin, schleich' ich ans Bett, belausche das leise Atemholen und bin meines Rechtseins gewiß. Meine Hand sucht im Dunkeln und trifft einen knöchernen Busen mit kleinen, welken, lappenähnlichen Brüsten. Man faßt meine Hand.

»Sind Sie's, Hauptmann?«

Wie ein Pfeil schoß ich an die Tür und fort auf mein Zimmer. Auch hier ergreift mich eine weibliche Figur, ich glaube, wieder irre zu sein, will mich losreißen, als ich an der Stimme meine Brünette erkenne.

»Wo waren Sie?«

»Ach, gnädige Frau!«

»Nun kommen Sie auf mein Zimmer.«

Wir gingen links, und ich war, der Himmel weiß wie, rechts gegangen.

Meine Göttin schloß hinter uns zu.

»Wo waren Sie? Sie sehen ja ganz erschrocken aus.«

Ich erzählte ihr mein Abenteuer und reizte sie herzlich zum Lachen.

»Nein, das wäre zu toll, wenn ich durch die verschrumpfte Frau v. Exen um mein Vergnügen gekommen wäre. Nein, gute Frau, so was Derbes und Festes ist nichts mehr für dich.« Sie zog mir den Schlafrock aus.

»Wie der kleine Geck sich entfärbt, ich glaube gar, er schämt sich? Nun, so muß ich ihm wohl vorgehen.«

Im Augenblick stand meine Brünette da, als ob sie einer nackenden Hebe zum Modell hätte stehen sollen. Sie strich mein Hemd ab, und wehmütig drückte sie mich an ihren flaumenweichen Körper.

»Ha, der Kleine, wie er starrt; wollen sehen, wer das Feld behalten wird.«

Ich war nicht müßig, meine Hände hatten volle Arbeit; ich kniff, ich streichelte, ich schlug und tändelte wie ein kleines Kind. Ich spielte an den kleinen krausen Haaren, strich sie auf und ab, untersuchte die kleine Spalte und entdeckte jetzt den kleinen Gott, der sich meinem Amor entgegensetzen wollte. Diese Entdekkung machte mich gierig, ich faßte meine Beute und trug sie aufs Bett. Meine Göttin glühte, die Lefzen ihrer Spalte waren geschwollen, mit einer Art von Wut warf ich mich über sie, der Eingang ward mir schwer, so sehr waren ihre Drüsen aufgelaufen, sie hob beide Schenkel über meine Hüften, und nun drang ich mit unbeschreiblichem Wonnegefühl, das alle meine Nerven erschütterte, durch, und ein leises Girren, das aus dem Munde meiner Schönen drang, bezeugte ihr hohes Vergnügen.

Jetzt ward ich heftiger, der Augenblick der Entscheidung war da, ich schnaubte, mit langsamen starken Stößen erhielt meine Schöne eine ziemliche Menge von meinen Lebenssäften. – Oh, sie fühlt es! Ihr brechendes Auge, ihr unterbrochener Atem, ihr Beben der Lippen, ihr Schlottern der Zähne bezeugten mir's.

Zu früh!

»Noch für – Lassen Sie nicht nach! Oh! Noch! Geschwind – er!«

Ich raffte meine übrigen Kräfte zusammen, verdoppelte meine Stöße, und mit jedem Annähern des Hintern meiner Schönen überströmte es meinen Amor heiß. Dadurch gewann er neuen Mut und Kraft, er erholte sich ganz und ward, als ob er den Kampf erst beginne. Die Verdopplung und die Geschwindigkeit der Stöße, mit solcher Kraft verbunden, setzten meine Schöne ganz außer Fassung. Ihre Schenkel sanken von meinen Hüften, ihr Atem blieb bisweilen ganz aus, stürmisch hob sich die Brust, jeder Hauch war ein Girren, ihr Auge schloß sich ganz, und süßlich angenehmer Duft quoll aus ihrem Körper.

Ich glühte, sie war mir zu tief gesunken, der sonst so bewegliche Hintern lag ohne Leben, ich hob ihn mit meinen beiden Händen und stützte mit geballter Faust jeden Backen. Dies schien mir noch reinere Bahn zu machen, und nach einiger Anstrengung brachte eine zweite Ergießung meine Schöne mit Vergnügen insofern ins Leben, daß sie halbgebrochene Laute von sich gab; und nun sank ich kraftlos an ihre Seite hin, mit meinem Gesicht auf den wallenden Busen.

Meine Brünette lag noch eine ziemliche Zeit mit halbgebrochenen Augen, atmete kurz und geschwind und bekam dann und wann eine kleine Zuckung, die jedesmal ein zitternder Seufzer begleitete.

Das Hinbrüten war endlich verrauscht, sie richtete sich auf, betrachtete und befühlte meinen ganzen Körper.

»Lieber Junge, um alles in der Welt hätt' ich diese wonnigliche Ekstase nicht entbehren mögen. Ich muß

Dir sagen, daß ich mich nicht entsinne, daß sie je mit einem so seligen Unbewußtsein meiner selbst begleitet gewesen wäre. – Und wie der kleine Bub' noch daliegt, scheint nur eine kleine Aufforderung zu erwarten und droht jedem Spott! Sieh da, die geringste Berührung stört ihn auf! Kleiner, niedlicher Kupido, wer sollte in dir den überschwenglichen Freudengeber suchen? Dir das Vermögen zutrauen, ein geheimes Feuer durch alle Adern durch jeden Nerv schneller wie Blitze zu treiben? Laß dich küssen, niedlicher Kleiner!«

Wenn bei solchen süßen Reden unter feurigen Küssen und wollüstigem Reiben einer samtnen weiblichen Hand nicht jeder Muskel schwellen sollte! Wenn unsere Hände den schönsten Körper betasten, die wallenden Hügel befühlen, unser Mund an ihren Rosenknöspchen saugt, wem dann nicht jeder Nerv starren sollte!

Und doch weiß ich das Gegenteil von vierundzwanzigjährigen Jünglingen; aber die Unglücklichen hatten die Quintessenz ihrer Lebenssäfte über die kalte Hand hinströmen lassen.

»Halten Sie, Lieber; lassen Sie uns erst recht vorbereiten zu neuem Vergnügen; der Genuß der Wollust verliert ohne Vorbereitung seinen Wert und Gefühl.«

Ich rieb ihre runden Hüften, ihre festen, fleischigen Hinterbacken, sog an ihrer Zunge, dann sie wieder an der meinigen, als ob wir wechselseitig unsere Seele einschlürfen wollten. Ich leitete meine Hand über ihren marmorglatten Leib, fand tiefer den festen runden Venusberg, zauste und rupfte in den krausen Seidenhaaren; meine Finger öffneten die Muschel der Liebe, untersuchten und fanden inwendig lauter kleine Erhöhungen, die sich bei Annäherung der Gäste vergrößerten und sie mit einer klebrigen Feuchtigkeit bewillkommneten, und jetzt schnellte ihnen der kleine liebliche Bewohner der inneren Dunkelheit wollüstig entgegen.

»Nun, Liebe? Ihre Lippen brennen, Ihre Augen glänzen und Ihre Milchhügel beben.«

»Meinen Sie? Ihre Augen strahlen Feuer, Ihr Atem brennt.«

»Ihr ganzer Körper duftet, das Blut scheint aus den Adern getreten und rötet sanft und rosig die weiße Schwanenhaut.«

»Stark und fest sind Ihre Lenden, jede Ader strotzt, und jeder Muskel schwillt von Kraft.«

Ungefähr auf diese Weise hielten wir unter beständigem Händespiel unsere Vorbereitung, erhitzten unsere Einbildungskraft und reizten unsere Begier aufs höchste.

Mit angezogenen Beinen und emporgehobenem Hintern erwartete mich nun meine Göttin. Ich kniete zwischen hin und betrachtete die niedliche Grotte nochmals recht aufmerksam, legte mich nun langsam über den samtnen Körper hin und führte meinen Amor an den Eingang.

»Sie zaudern, vermehren mein Schmachten, und auch das ist angenehm.«

Ich schlang meine Arme um die Dünnung über den elfenbeinernen Hüften, preßte sie fest zusammen. Der ganze Körper meiner Göttin bebte, ihre Zunge zitterte aus dem halboffenen Munde, und nun drang ich mit einem heftigen Stoß durch. Zu schwach war das Hindernis der angeschwollenen Drüsen; meine Schöne stieß ein lautes, wollüstiges, bebendes Girren aus und drückte meinen Hintern mit beiden Händen so fest an sich, als wollte sie auch ihn hineindrücken. Unsere Vorbereitung hatte auf meine wollüstige Brünette zu starken Eindruck gemacht, schon nach dem vierten Stoß schnappte sie nach Luft.

»Lieber, zu – geschwind – er – Ach!«

Ich ließ mich nicht aus meiner Fassung bringen; mit langen, abgemessenen Stößen fuhr ich fort und überließ mich jetzt zum ersten Mal so recht mit Bedacht den Empfindungen der Wollust.

»O – o – o – o – oh – (äußerst geschwind) Sie quälen mich!«

Wirklich bemerkte ich auch nicht nur in ihrem Gesichte, sondern an allen ihren fleischigen Teilen Zukkungen; sie schlang so heftig, als ob ihr etwas in der Kehle sitzen geblieben wäre; ihre Augen waren halb geschlossen, standen starr, und die Augenwinkel waren voll Tränen.

Auf einmal fing sie laut an zu wimmern, ihr Hintern schien Konvulsionen zu erhalten, jeder meiner Stöße ward mit drei und vier Gegenstößen erwidert, und endlich brach ein heißer Strom aus seinem Behälter und überschwemmte Tal und Hügel am Gestade der Wollust und den ganzen Myrthenhain der Liebe.

»O – o – o – ooh! A – a – a – aach! I – ch kann nicht – m – e – e – ehr!«

Ein Schauspiel für die Götter!

Hier lag ich nun und hielt meine halb ohnmächtige Schöne fest an mich geschlossen, vom Rosenduft der Wollust umgeben, und fuhr mit meinen gemessenen Stößen fort. Ihre Beine hatten alle Kraft, sich zu stützen, verloren. Ich hielt etwas inne, zog meine Hände unter ihrem Rücken hervor und legte meine Schenkel über ihre Hüften, so daß sich die Beine kreuzten, und brachte meine Hände wieder unter ihren Hintern. Schwere Seufzer drängten sich zitternd aus ihrer Brust. Ich setzte meine Stöße fort und spielte mit meinen Fingern in der hinteren Spalte oben in der Gegend, wo das Rückgrat endigt, was die Mediziner das ›heilige Bein‹ nennen, ohne daß ich die Wirkung kannte. Meine Schöne erholte sich.

»Lieber, wollüstiger Jüngling, was lassen Sie mich für ein noch nie gefühltes Vergnügen schmecken! Ach!«

Sie schlürfte an meiner Zunge.

Nun aber verlor ich mein bedachtsames Wesen; geschwinder und geschwinder und nachdrücklicher wurden meine Stöße; mein Amor schwoll gewaltig auf, und mein Atem ward kürzer und kürzer.

»Ach, Lieber!«

Ungeachtet der starken Ergießung meiner Göttin war doch jetzt alles trocken in dem Innern der Muschel; die Erhöhungen brannten, und wenn der empfindlichste Teil meiner Nerven darüber hinfuhr, so war es mir schmerzhaft. –

»Ach! Helfen Sie mir, Liebe.« –

Sie drückte mit ihren Schenkeln meine Hüften zusammen, sog an meinen Lippen, als ob sie meinen weichenden Geist auffangen wollte.

Umsonst! Meine Quelle schien verstopft, es preßte mich schmerzhaft.

Meine Schöne rieb meine Lenden, umsonst. Sie vergaß ihr Zungenspiel und fing aufs neue an, mit den Augen zu blinzeln. Sie schloß mich mit allen Kräften mit Armen und Schenkeln an sich. Ich verlor Gesicht,

Gehör und Gefühl. Die Quelle meiner Göttin ergoß sich aufs neue. Ich schnaubte und tobte. Sie war diesmal nicht ohne Besinnung wie vorher und leistete mir allen Beistand. Sie hob und spaltete sich so, daß mein Amor bis an seine Wurzel eindrang.

»Ach!«

Jetzt brach der Damm.

»Sie ersticken mich, Lieber!«

Mit unbeschreiblicher Macht schoß der Balsam der Wollust hervor, der seinen Ursprung aus meinem Gehirn und Herzen zu nehmen schien.

Kaum empfand meine Schöne das Feuer dieses Balsams, nach dem sie so lange geschmachtet hatte, so zitterten ihre Lippen, und melodisches Girren entdrang ihrer Kehle. Ihre Quelle floß wieder, ihr ganzer Körper schien gleichsam zu schmelzen.

»Ach!«

»Ach! Hu!«

Meine Stöße verdoppelten sich.

»Ich sterbe!«

Nun war das Opfer gebracht. Fest umschlossen, Mund auf Mund, Zunge auf Zunge, Busen an Busen lagen wir, hauchten unsere Seelen ineinander und entschliefen.

Schon schielte die Sonne über den nächsten Berg zu unserem Fenster hinein, als ich erwachte.

Sanft schlief noch meine Göttin der Liebe. Mit Entzücken betrachtete ich die schönen Teile des herrlichen Körpers, die mir so unbeschreibliches Vergnügen gemacht hatten.

Ich sah die bemooste Quelle der Wollust mit der rosigen Einfassung. So schön, so lieblich! Ich drückte sie sanft bog mein Gesicht nach den Milchhügeln hin und küßte das herrliche Knöspchen, das kein Maler schöner malen konnte.

Mit einem tiefen Seufzer schlug meine Brünette die Augen auf, umschlang meinen Nacken und überströmte mein Gesicht mit wollüstigen Küssen.

»Lieber H., welch eine Nacht war das! Zwei Jahre meines Lebens, bin ich erst noch einmal so alt, geb' ich dafür willig. Nur, lieber guterJunge, sparsam! Fröhne nicht täglich der Liebe und immer nur dann, wenn du Gegenliebe findest. Mein Mann bleibt noch vier Wochen abwesend. Ich werde binnen acht Tagen auf meinem Gut sein, acht Tage da auf dich warten, willst du mich besuchen? Allein bis dahin schon dich, und was meine Person vermag, soll dir diese Enthaltsamkeit vergolten werden.«

Und nun!

Sie küßte meine Lippen trocken. Sie nötigte mich zu gehen, ich sollte meine Enthaltsamkeit schon jetzt anfangen. Ich gab ihr meinen stolzen Amor in die Hand, sog an ihrem Rosenmund und besuchte mit meinem Finger ihren kleinen Gott der Grotte, der mich mit einem freudigen Hüpfen empfing.

»Ich kann nicht, Liebe! Nach der Tafel fahren Sie ja fort, und dort die Uhr an der Wand zeigt erst vier.«

»Wollüstling, ich hab Ihnen gesagt, Sie sollen sich schonen. Haben Sie sich diese Nacht nicht genug erschöpft?«

Ich riß mich los, legte ihre Schenkel auseinander und betrachtete mit gierigen Blicken die rosige Spalte. Stolz auf meinen Anblick, schien sie sich zu öffnen und meine Ankunft zu erwarten. Meine Holde lächelte, ich küßte ihre Milchhügel, wärmer wurden sie unter meinen Lippen.

»Warum erregen Sie Feuer, das Sie nicht löschen sollen? In acht Tagen –«

Meine Küsse hemmten ihre Rede, ich bemächtigte mich des Throns, und mein Amor trat in den Tempel. Meine Holde neckte mich. Je tiefer ich einzudringen suchte, je mehr zog sie sich zurück und brachte mich dadurch in unbeschreibliche Hitze. Endlich gab sie nach, und wir schieden mit der größten Zufriedenheit voneinander.

## Elftes Kapitel

# Eine kleine Erholung

Wenn ich mich nicht sehr irre, so werden meine Leser eine kleine Erholung nötig haben; denn ich müßte doch verzweifelt schlecht erzählen, wenn nicht dabei das Blut in einige Wallung geraten und ein heimliches Feuer durch die Adern geschlichen wäre.

Wer's haben kann, wird wohl wissen, wie er sich helfen soll, und wer nichts hat, daß er nur zugreife, dem bezeuge ich mein herzliches Beileid. Nur wünsche ich ja nicht, daß er sein Feuer mit kalter Hand auslösche, sondern lieber mein Buch hinlege und mit seinem glühenden Gesicht und funkelnden Augen ein Mädchen aufsuche, das Mitleid mit ihm habe.

Sind Zeit und Gelegenheit dawider oder hast du dich etwa gar zum Mädchenhasser schon verstümmelt, so lies im ersten Fall mein Buch nicht, und im zweiten bist du es nicht wert, daß es dein bißchen übriggebliebenes Gefühl erweckt hat.

Mancher meiner Leser wird sich auch die Zeit zurückgerufen haben, wie er zuerst die Geheimnisse der Liebe erforschte, und wird bedauert haben, daß es ihm nicht so leicht und mit so gutem Erfolg gelang und daß er nicht so schönen Lehrmeisterinnen in die Hände fiel.

Mancher wird auch vielleicht noch bis jetzt die feine Würze des Genusses entbehrt haben. Und mancher wird sich verwünschen und traurig sein Haupt auf einen Arm stützen, den er lieber um einen schönen weiblichen Nacken schlänge.

Es ist nun nicht anders; die Gaben sind verschieden ausgeteilt.

Wie manches gute, feurige Mädchen fühlt ein unruhiges Sehnen und sinkt in Schwermut! Fragt sie, warum! Vielleicht weiß sie das selbst noch nicht, oder sie wird errötend die Augen niederschlagen, und ihr ängstlich wallender Busen wird Euch das Warum beantworten.

Sucht aber nicht in jedem weiblichen Schoß gleiches Vergnügen und scheltet mich nicht gleich einen Lügner, wenn Ihr etwa jetzt einen weiblichen Körper an Euren Busen drückt und die Äußerung des Gefühls nicht so findet, wie ich sie beschrieben habe! Es ist nicht eine Rose wie die andere. Ich ward von Kunstverständigen in die Geheimnisse eingeweiht, und meine fernere Erzählung wird es beweisen, daß ich nicht überall meine Reibhand und noch weniger eine Brünette fand.

Doch über dies und das ein Mehreres, wenn mich meine Leser vorher in meinen ferneren Erfahrungen werden begleitet haben.

## Zwöftes Kapitel

# So erwünscht wie möglich

Ich blieb noch einige Tage bei meinem Vater, weil er es haben wollte, und reiste sehr zufrieden in meine Stadt, weil mein Vergnügen keine Rechnung mehr fand.

Wie erwünscht war mir die Nachricht, die mir Lieschen bei Überreichung des Stubenschlüssels ins Ohr flusterte: »Madame ist verreist!« Das Mädchen glühte, wie sie es sagte.

Erregt nur bei einem Frauenzimmer die Begier, und sie kommt Euch auf halbem Wege entgegen.

»Nun, Lieschen, so schlafe heute nacht bei mir.«

»Das geht nicht gut.«

»Und warum?«

»Warum?« Sie schlug die Augen nieder, »Möcht' es verschlafen und wenn die Köchin mich morgen weckte.«

»Gut, so werd ich zu dir kommen; allein, du behältst doch Licht?«

»Wozu?«

»Wenigstens bis ich komme. Gewiß?«

»Nun, wenn Sie's wollen«

Zwei weibliche Körper hatte ich gesehen, nun wollte ich auch den dritten sehen und vergleichen. Denn es war mein Vorsatz geworden, weibliche Schönheit mit allem Ernst zu studieren.

Unsere Köchin war eine alte fünfzigjährige Jungfer, die ihr einziges Vergnügen im Bett fand und jetzt ihrem Gott dankte, daß sie einmal ausruhen konnte, weil die Herrschaft verreist war.

Also konnt' ich schon um zehn Uhr zu Lieschen, ohne Gefahr, bemerkt zu werden, schleichen.

Sie schnürte eben ihr schwarzseidenes Leibchen auf.

»Sie kommen auch so früh!«

Ich setzte mich auf einen Stuhl gleich neben dem Tisch, wo das Licht stand, zog Lieschen an mich, küßte ihren niedlichen Mund und schnellte meine Zunge zwischen ihre Lippen. Das arme Kind zog zurück, wußte nicht, wie ihr widerfuhr.

Ich führte ihre linke Hand um meinen Nacken, durch die Bewegung schlug mein Schlafrock auf, sie sah mich im bloßen Hemd und verbarg ihr Gesicht auf meiner Schulter.

Ich schnürte sie vollends auf, öffnete mir ihren Busen und faßte ihre niedlichen kleinen Hügel in meine hohle Hand. Es waren nicht die vollen aufgeblühten Rosen der Madame Reibhand oder der gnädigen Frau, es waren derbe, feste Knospen. Ich küßte sie, meine Lippen prallten ab. Wie ein Punkt erhob sich das kleine Wärzchen, noch zu klein, als daß es meine buhlerischen Lippen fassen konnten. Ich löste ihr Unterröckchen, sie hielt es mit ihrer kleinen Hand.

»O nein!«

»Doch, Lieschen!«

»So löschen Sie das Licht aus!«

»So würd' ich mir mein größtes Vergnügen rauben.« Ich nahm ihre beiden Arme, schlang sie um meinen Hals, küßte ihre brennenden Lippen, lehrte sie mein Zungenspiel, und das Röckchen fiel von selbst herab.

Meine Hände hielten jetzt ihre runden, festen, niedlichen Hinterbacken, ich ward heiß und hielt es nicht für gut, noch länger zu zaudern.

Ich richtete Lieschen auf, zog ihr Leibchen aus und streifte ihr unter schwachem Widerstreben ihr Hemd über die Schultern. Ich muß bekennen, daß Lieschen den niedlichsten Körper hatte. Sie war nicht groß, aber alles so niedlich und alle Teile so regelmäßig schön und jugendlich, daß ich nicht genug besehen und betasten konnte.

Das gute Mädchen vermocht' es nicht, mich anzublicken, sie drängte sich an mich, als ob sie sich in mir verbergen wollte.

»Ich dächte, Lieschen, du zogst mich auch aus.«

Sie schwieg und verbarg ihr Gesicht an meinem Nakken. Ich richtete sie auf und warf Schlafrock und Hemd ab.

Hier stand sie, gebogen, hielt eine Hand vor die Augen und bedeckte mit der anderen – Ihr wißt ja, was!

Feurig umschlang ich mein liebes Mädchen und drückte fest Busen an Busen.

Ich setzte mich und zog Lieschen in meinen Schoß.

Immer wieder verbarg sie ihr Gesicht auf meiner Schulter. Sie saß auf meinem linken Schenkel, ich hob ihren rechten auf, streckte ihren linken etwas und schaffte mir eine kleine Aussicht nach dem Ruhepunkt der Wollust, um den noch bloß weiche Wolle einen leichten Schatten warf. Aber die Erhöhung über der niedlichen Spalte war noch erhabener und fester als bei meiner gnädigen Frau.

Heftig pochte ihr Herz, und bald geschwind, bald langsam atmete das verschämte Mädchen.

Mein Finger fand den Eingang der Grotte naß, er drang hinein und fand den kleinen Bewohner ganz in der Tiefe.

Lieschen fuhr zusammen mit einem gebrochenen Seufzer, wie ich ihn berührte.

Ich dürstete nach höherem Genuß, nahm Lieschen und trug sie aufs Bett, und ohne Widerstand lag ich in Positur. Der Eingang war zu eng. –

»Liebes Lieschen, zieh deine Beine an, stütze dich und hebe deinen Hintern, sonst fällt mein und dein Vergnügen weg!«

Lieschen gehorchte. Nun führte ich meinen Amor in die Spalte, stellte ihn an den Eingang, schloß meine Arme fest um ihre Hüften und schob aus allen Kräften. Einen Fingerbreit und nicht weiter. Lieschens Atem zitterte. Ich setzte noch einmal an und gelangte nicht viel weiter, und noch einmal. –

»Ach Gott! – Lassen Sie, es schmerzt!«

Auch ich empfand einen heftigen Schmerz. Ich ruhte, faßte alle Kräfte zusammen, stieß mit aller möglichen Heftigkeit; Lieschen schrie laut und wollte mich von sich stoßen, hatte aber nicht Kraft genug. Ungefähr halb war ich eingedrungen, Lieschen schloß ihre Augen und wimmerte laut. Mein Schmerz ward heftiger, und ein empfindliches Brennen in der Grotte wurde mir fast unleidlich. Ich holte nochmals aus, stieß mit Heftigkeit, Lieschens Atem blieb aus, und mit heftigen Verzuckungen floß brennend heiß der Saft der Wollust über meinen Amor hin. Ich verdoppelte nun meine Stöße, drang bei dem dritten ins innere Heiligtum und ersetzte Lieschens Verlust doppelt. Mein Vergnügen, obwohl mit Schmerzen verbunden, war unbeschreiblich groß.

Lieschen war unbeweglich, und ihr Atem war einem Schnarchen ähnlich.

Ich stieg auf, holte das Licht und besah die niedliche, kleine, schattige Grotte der Liebe. Sie war mit Blut gefärbt, und noch bemerkte ich kleine Zuckungen. Mein Amor hatte sein Haupt noch nicht geneigt, vielmehr brannte er heftig. Ich nahm meinen vorigen Platz ein, weniger schwer als vorhin drang ich ein, das ganze Innere glühte. Ich küßte Lieschens Mund, kein Zeichen von Leben als bebendes Atmen, das einem beständigen Seufzen glich, gab sie von sich. Ich legte meine Hände unter ihre runden Hinterbacken und begann mit langsamen Stößen aufs neue.

Lieschen schlug die Augen auf.

»Lebst du noch, liebes Kind?«

»Fast hätte ich's selbst nicht geglaubt.«

»Und wie befindest du dich?«

Sie lächelte, schlang ihre Arme um mich und küßte mich jetzt zum ersten Mal und mit solchem Feuer, das sehr wohl ihre Zufriedenheit bewies.

»Liebe, hebe deinen Schenkel über meine Hüfte – Noch besser! So! – Und den anderen auch – Schließe fest zusammen –«

»Ach!«

»Gefällt dir das?«

Sie sog an meinen Lippen mit unbeschreiblicher Begier.

»Drücke mich fest an dich! – Bewege deinen Hintern hin und her! – Ach Gott, wie wird mir!«

»Lassen Sie! Es – kommt! – Ich – kann nicht mehr halten!« (Fast in einem Hauch): »Lassen Sie, ich mach das Bett naß!« Das unwissende Mädchen erregte mir heftiges Lachen. (Ein Beweis, mit wie wenig Besinnung sie das vorige Vergnügen genossen.) Anstatt sie loszulassen, schloß ich sie fester an mich und verdoppelte meine Stöße.

»Laß es, liebes Kind! Ist dir wohl?«

»O – o – o – oh!«

Langsam stieß sie ihren Atem aus und mit jedem einen Strom des Wollustsaftes. Sie hatte noch nicht vollendet, als die Reihe an mich kam.

Kaum spürte sie's, so drückte sie mit ihren Schenkeln meinen Hintern so fest als möglich und gab ihrem Hintern eine zitternde Bewegung.

Wir ruhten aus. Mein Lieschen ward dreister. Ich gab ihr meinen Amor in die Hand, er lag geschwächt mit gesenktem Haupte. Sie streichelte ihn, spielte an den krausen Haaren und befühlte sehr aufmerksam die Eier in dem haarigen Beutel. Das Spiel ermunterte meinen Amor, ihr Betasten verriet Neugierde, ich hob sie auf und nötigte sie zuzusehen. Sie nahm ihn in die Hand; starr richtete er sich auf.

»Je, wie ist das? Das ist schnackisch!«

Ich legte Lieschen hin, mich über sie und nötigte sie, meinen Amor in ihre Grotte einzuführen.

Sie tat es ohne Weigerung, und wir genossen ebensogroßes Vergnügen als vorher.

## Dreizehntes Kapitel

# Ein ehrlicher Mann hält sein Wort

In acht Tagen wollte meine schöne Frau v. Glossen auf ihr Gut gehen und dort acht Tage meiner harren.

Ihren Befehl, acht Tage enthaltsam zu leben, hatt' ich nicht gehalten, allein den, sie zu besuchen, wollt' ich halten. Ich kam zu meinem Vater und bat um Erlaubnis.

»Ich dächte gar! Findest du das nicht unschicklich, eine Dame zu besuchen, da ihr Mann abwesend ist?«

Ich ward rot.

»Knäbchen! Knäbchen! Ich habe schon bei dem Herrn v. C. etwas gemerkt! – Nun? Du schlägst die Augen nieder?«

»Verzeihen Sie, gnädiger Herr

»Karl, sieh mich an! Solche Sachen können in unangenehme Verlegenheit bringen. Ich habe dich für meinen Sohn erklärt, du bist Edelmann; hast du Mut?«

»Ich verstehe Sie, gnädiger Herr –«

»Ich will weiter nichts wissen. – Da ich eben daran denke: Ich verreise auf zwei Wochen, bringe unterdessen deine Sachen in Ordnung, du sollst deinen Stab weiter setzen, je nachdem du Neigung hast.«

»Hab ich also die Erlaubnis, gnädiger Herr?«

»Nenne mich Vater und tu, was du willst.«

»Wenn es bei mir steht, so –«

»Willst du einen Bedienten mitnehmen, so wähle einen.«

Ich lächelte.

»Sieh, Schalk, du willst keinen Aufseher!«

Ich küßte seine Hand.

»Willst du fahren oder reiten?«

»Zu viel Gnade!«

»Nun, das versteht sich von selbst, daß du doch in einem gewissen Aufzug kommen mußt.«

Sogleich gab mein Vater Befehl, daß mir sein Leibschneider ein kurzes Reitkleid mit gelblichem Unterkleid, stark mit Gold besetzt, zwischen heute und übermorgen früh verfertigen sollte. – »Ein junger Ritter«, sagte er, »der auf Abenteuer ausgehen will, muß Kleidung haben, die seine Figur hebt. – Willst du den braunen Engländer oder den Weißfuchs?«

»Darf ich wählen? Den letzteren!«

»Weil er toll und rasch ist; wenn aber nur der junge Ritter nicht aus der Balance kommt!«

Meine schöne Glossen sah mich also in diesem Aufzug in kurzem Galopp in ihrem Hof ankommen.

Der Pächter nahm mir mein Pferd ab, ich stürzte die Treppe hinan; eine steinalte Frau, die Amme meiner Schönen, wie ich nachher hörte, führte mich ins Vorzimmer und entfernte sich. Mit offenen Armen und offenem Busen empfing mich meine Göttin.

»Ich vermutete Sie schon gestern.«

»Mein Vater wollte mich erst anständig gekleidet wissen.«

Sie lachte.

»Der alte Schalk! Das hatt' er nicht nötig, sein Sohn bedarf keines Putzes und gefällt doch.«

Ich küßte sie für dieses Kompliment.

»Ei, schön! Haben Sie das Küssen in der Zeit etwa geübt? Oder haben Sie ein so gutes Gedächtnis?«

»War nicht meine schöne gnädige Frau meine Lehrerin?«

»Wie dreist und artig!«

Ich schloß sie heftig in meine Arme und wühlte mit meiner Hand in ihrem flaumweichen Busen.

»Jüngling, Jüngling! Haben Sie wohl gespart, mich zu vergnügen?«

»Urteilen Sie aus meiner Heftigkeit.«

Und damit trug ich sie aufs Kanapee, und wie ein Blitz war meine Hand an ihrer Wollustquelle.

»Um Himmelswillen, woher diese Dreistigkeit?«

»Meine liebenswürdige Lehrerin sagte, ich sollte mir bei einer schönen Dame alles erlauben, was mir meine Einbildungskraft eingäbe.«

»Wohl gemerkt! Doch lassen Sie jetzt, mein Lieber, hier ist nicht Zeit und Ort. – Bei Gott, Knabe, du bist zum Anbeißen!« Und damit kniff sie mich etwas empfindlich in meine vollen Backen.

Wir hielten eine ausgesuchte Mahlzeit und leerten unter allerhand Scherzen ein Glas Champagner nach dem anderen. Kleine Tändeleien unterblieben nicht, wir küßten, streichelten, kniffen, bissen einander, sogen eins dem anderen den Wein aus dem Mund und was uns der Mutwille sonst eingab.

Glauben Sie mir, mein Leser, wer solche Tändeleien nicht kennt, weiß ihren Wert nicht zu schätzen und wird es schwerlich begreifen können, wie viele süße Empfindungen sie erregen.

Nach der Tafel führte sie mich in ein Kabinett.

»Hier weis' ich Ihnen Ihr Ruhezimmer an, und hier diese Tür führt zu mir (lächelnd:), wenn Sie sich etwa diese Nacht fürchten sollten.«

Ich küßte den scherzhaften Mund.

»Jetzt legen Sie sich hierher und überlassen Sie Ihren Körper den Armen des Schlafes. Sie haben vier Stunden geritten, und ich glaube, die Ruhe wird Ihnen wohl bekommen. Ich habe gesorgt, daß Sie alle Bequemlichkeit finden.«

Einige wollüstige Küsse begleiteten ihre Rede, meine Einwendungen wurden verworfen, und sie verließ mich mit dem Versprechen, mich zeitig genug zu wecken.

In der Tat war es mir so unangenehm eben nicht; denn der flüchtige Champagner hatte mir in meinem Kopfe ein kleines Sausen verursacht. Ich zog mich aus, legte mich und schlief auch bald ein.

Es war zwei Uhr, als mich meine Glossen mit feurigen Küssen weckte.

»Schlafen Sie so fest? – Schon einige Zeit hab' ich neben Ihnen gesessen, Ihre vollen roten Wangen mit Vergnügen betrachtet, und meine Lippen haben alle Kraft anwenden müssen, den Schlaf aus Ihren Gliedern zu saugen.«

Ich zog meine Göttin über mich, ihre weichen, runden Brüste bedeckten mein Gesicht, ich sog an den Rosenknöspchen und meine Hand – wie hätte die unbeschäftigt bleiben können.

»Nicht mehr, lieber Junge, kommen Sie.«

Sie half mir selbst mich ankleiden, und wir wanderten in den Garten.

Ein kleiner Bach rauschte neben dem Garten hin. Jenseits erhebt sich ein scharfer Berg längshin, Felsenmassen türmen sich über Felsenmassen. Diesseits ist eine grüne Ebene, die abhängig in ein dunkles Gehölz führt, das die Ebene rund umkränzt. In der Mitte des

Zirkels erblickt man eine kleine Bauernhütte. Kommt man näher, so läßt ein mäßiges ausgeplattetes Bassin vor der Hütte, in das zwei Nymphen aus Krügen Wasser gießen, nicht den Wohnsitz des rohen Landmannes, sondern den Vergnügungsort des kultivierten Städters vermuten. Das Bassin ist voll Schaum vom Herabstürzen des Wassers aus den umgebenen Krügen der Nymphen. Dickes, undurchdringliches Gebüsch umgibt Hütte und Bassin und sichert gegen das belauschende und neugierige Auge. Jetzt öffnete sich die Tür der Hütte. Welche Pracht bedeckt ein Strohdach! Wollüstig hebt sich der Polster des Sofas und das Kanapee, wählst du eins oder das andere zum Ruhen. Hier siehst du Leda mit dem Schwane spielen, dort Luna den schlafenden Endymion küssen. Hier belauscht ein Satyr badende Nymphen, und dort schmeichelt der schalkhafte Kupido seiner lieblichen Mutter.

Hierher führte mich meine schöne Brünette und fragte mich lächelnd, wie ich's fände? Noch nie hatte ich so etwas gesehen, ich war bezaubert. Sie küßte mich feurig.

»Lieber, Sie vergessen mich, umsonst führ' ich Sie nicht hierher. Es ist heiß, sehr heiß. –« Sie knöpfte meinen Rock auf. »Verstehen Sie, mich auszukleiden?«

Bald hatte ich sie vor mir stehen, nichts als das leichte Hemd bedeckte ihre schönen Glieder.

Bald sah sie auch mich in diesem Zustand. Schuhe und Strümpfe wurden abgezogen, herab fiel das Hemd und dort floh meine Nymphe ins schäumende Bassin und lachte über mein verwundertes Nachsehen.

Ich folgte ihrem Beispiel. Wir wuschen uns, jagten uns, erhaschten uns, bespritzten uns.

Meine Nymphe floh über die grüne Plane hin, ich ihr nach, ereilte sie, und Küsse straften ihren Mutwillen. Jetzt entschlüpfte sie meinen Händen wieder und sprang ins Bassin und empfing mich mit schäumenden Wasserfluten. Nichts hielt mich auf, ich schlang meine Arme fest um ihren Schwanenhals, und wollüstiges Zungenspiel endigte den Streit.

Hand in Hand gingen wir nun, dieses Scherzens müde, in die Hütte. Mit weichen Tüchern trockneten wir die Nässe von unseren Körpern. Spottend betrachtete sie meinen eingeschrumpften Amor, legte sich aufs Sofa und forderte mich zum Kampf.

Hier saß ich und sah die schönen Schenkel auseinander, den Wohnsitz der Wollust, die roten Lefzen durch das schwache Gebüsch gleich einer frisch aufgebrochenen Rose durchschimmern.

»Armer Knabe!«

Sie stand auf, holte feine wollene Tücher, gab mir zwei, fing an, meinen Körper zu reiben und befahl mir, Gleiches zu tun. Bald durchdrang uns eine leichte Wärme. Wir fuhren fort, und nach ihrer Anordnung wurden endlich bloß die Schenkel und besonders die Hinterbacken gerieben.

Welche wunderbare Wirkung! Glut durchströmte unsere Adern. Mein Amor war zu einer Dicke und Steife angewachsen, wie ich ihn noch nie gesehen hatte.

»Kommen Sie, Lieber, ich bin ganz in Wallung!«

Wirklich war ihr Hintern von dem starken Reiben außerordentlich erhitzt und in steter Bewegung. Keuchend eilte sie aufs Sofa, stürzte auf den Rücken und hob ihren Hintern, indem sie sich auf die angezogenen Beine stützte. Feurig und aufgelaufen waren die Lefzen ihrer schönen Muschel. Ich zauderte ihr zu lange, mit Ungestüm riß sie mich über sich hin und bewegte ihren Hintern so heftig, daß ich fast nicht imstande war, meinen Amor in die Spalte zu führen. Mit lautem wollüstigem Girren empfing sie ihn; sie arbeitete und stöhnte so heftig, daß ihre Wollustquelle schon bei dem dritten Stoß überfloß.

»A – ah! – Ge – schwind! Lassen Sie mich nicht allein!« Ich verdoppelte meine Stöße, sie hob sich so empor, daß ich so tief als möglich eindrang und nun mit unbeschreiblichem Vergnügen ihrem kleinen Gott ein doppeltes Opfer brachte.

Sie stöhnte laut, verdrehte die Augen, schlürfte und preßte mich mit wütigem Schauder an ihre Brust.

Ruhig lagen wir nun, Busen an Busen, ein Hauch, ein Leben. Ungeachtet des starken Verlustes wollte mein Amor sein Haupt noch nicht beugen, er blieb in dem Tempel der Wollust und schäkerte mit Gott Hymen.

»Nicht mehr, Lieber, lassen Sie uns ankleiden.«

»Ich soll schon der Liebe höchsten Genuß entsagen?«

»Doch, Lieber! Schonen Sie sich bis auf diesen Abend, dann will ich Ihnen nichts mehr vorschreiben.«

Ich gab ihr einen heftigen Stoß, indem ich sie fest an mich und den wollüstigen Kuß auf ihre Lippen drückte.

»Ich bitte, lieber Junge, hintergeh' meine Vorstellung von dieser Nacht nicht. Ich verspreche dir, mich ganz deiner Begier und deinem Mutwillen zu überlassen.«

Sie bat so schön und dringend, daß ich ihr nachgeben mußte ungeachtet mein Amor in vollster Positur stand.

»Wollüstling, wie schlüpfrig du bist!«

»Ist Ihnen das nicht lieb?«

»Wohl, Lieber! Woher sonst mein Vergnügen? Wirst du wiederkommen?«

»Wenn ich darf und kann!«

Sie seufzte, sah mich an, ihre Augenwinkel füllten Tränen; ich sog sie mit meinen Lippen weg. –

»Was man liebt – doch wir wollen auf –«

Wir erhoben uns, gingen einige Minuten ins Bad, kleideten uns an und kehrten ins Schloß zurück.

Ohne noch den Gebrauch bestimmen zu können, steckte ich einige von den wollenen Tüchern zu mir, die unsere Körper nach dem Bad so erwärmt hatten.

Wir fanden für unsere Zurückkunft eine stärkende Schokolade, die wir unter allerhand süßen Gesprächen und Tändeleien der Liebe schlürften.

Mein lieber junger Freund, ich wünsche dir, daß dich ein so liebenswürdiges und billiges Geschöpf wie meine Frau v. Glossen in der Liebe Myrthenhain führte und dich in die Geheimnisse einweihte, und bedauere dich, wenn du einer unersättlichen, brünstigen Messaline in die Hand fallen solltest, die allemal deine Kräfte aufs äußerste anstrengt und nicht eher ruht, bis du ganz matt und kraftlos daliegst, und dann noch mit siegerischer Miene deiner spottet.

Schlüpfrig und wollüstig war meine schöne Glossen; allein, immer dachte sie an das folgende Vergnügen und sparte lieber etwas auf, aus Sorge, sie möchte dann alles verlieren.

Vierzehntes Kapitel

## Der Retter legt Ehre ein

Nach der Schokolade ward ein kleiner Spazierritt beliebt. Man hätte mich sehen sollen, wie groß ich mich dünkte, als ich so neben meiner Amazone hertrabte. Sogar mein Weißfuchs schien gleich mir zu denken; denn noch nie trug er seinen Kopf und warf seine Schenkel so stolz.

Um acht Uhr hielten wir wieder ein niedliches Mahl unter Scherzen und Küssen.

Die Glocke schlug neun.

»Sie werden stürmisch!«

»Sollt' ich nicht, gnädige Frau! Und sind Sie weniger mit mir zufrieden, als wenn ich es nicht wäre?«

»Wer lehrte Sie meine Schwäche so kennen?«

»Die Sie so liebenswürdig macht!«

»Schmeichler! Wahr, ich liebe das Stürmische und Dringende sehr, wenn es sich lenken läßt. Ich bin gern auch beschäftigt, und Stürmische zu mäßigen, erhöht allemal mein Vergnügen, so wie es vermindert wird, wenn meine Bemühung fruchtlos ist.«

Ich schlang meinen Arm um ihren Nacken und küßte sie feurig.

»Gilt das mir, Liebenswürdige?«

»Noch nicht; (lächelnd:) indes ist es so ein kleines Notabene.«

»Aber! – Einen so vollen Busen, so flaumweich – so gerundete Hüften – so – so schöne Schenkel – Glieder, die des Malers Einbildungskraft auf kein Gemälde so reizend hinzaubern kann – Küsse den schönsten Lippen rauben –«

»Armer Jüngling, Sie vergessen ja den Zusammenhang Ihrer Rede! – Ohne aber die Wahrheit Ihrer Lobeserhebung zu untersuchen: Glauben Sie denn, daß mir Ihr schöner, jugendlicher, starker, wohlgebildeter Körper nicht ebenso angenehme Gefühle erregt? Umsonst spiel' ich nicht an Ihren Wangen und Haaren, umsonst saug' ich nicht an diesen aufgeworfenen Lippen, umsonst klopf' und reib' ich nicht Ihre muskulösen Schenkel, umsonst –«

»Und Sie zaudern noch?«

»Weil Aufsparen eines gewissen Vergnügens auch Vergnügen ist.«

»Wenn aber Harren schmerzhaft wird?«

»Knabe, Knabe, ich fürchte, du wirst unmäßig werden und dich zu sehr deinen Begierden überlassen. Es sollte mich schmerzen, wenn ich dich dereinst sehen sollte ohne männlichen Mut und Kraft. Glaube mir, der Liebe Süßigkeit im Übermaß genossen, wird zum tödlichsten Gift.«

Was halfen alle Lehren bei einem erhitzten Jüngling, der in allen seinen Adern brennendes Feuer fühlte und bei dem Nervenhitze doppelt reizbar war!

Aus diesen wenigen Zügen werden meine Leser den Wert der schönen Glossen kennenlernen; und sollten meine Denkwürdigkeiten wider Vermuten dem strengsten Moralisten zu Gesicht kommen, so glaub' ich gewiß, er wird sein Verdammungsurteil um einen guten Teil mäßigen und vielleicht – wenn meine schöne Glossen eben da wäre – seine strengste Moral beiseite legen.

Meine schöne Glossen gab endlich nach. Sie klingelte;

das steinalte Mütterchen erhielt befehl, mich in mein Schlafzimmerzu bringen.

Mein Blut war wirklich in außerordentlicher Wallung. Ich entkleidete mich ganz, fand einen leichten flanellnen Schlafrock und zog ihn auf den bloßen Leib.

Das Schlafkabinett meiner Glossen war hell erleuchtet. Sie kam bald.

»Dacht' ich's doch, daß ich Sie schon treffen würde. Ich fürchte, mein Vergnügen wird sehr vorübergehend sein: Sie sind zu hitzig.«

Ohne ein Wort zu sagen, löste ich Rock und Busenschleifen. Sie setzte sich aufs Sofa. Ich strich die seidenen Strümpfe von ihrer vollen Wade, riß ihr das Hemd ab; als ich es auszog, stürzte ich mich über sie hin, und ohne weitere Vorbereitung führte ich meinen Amor in der Wollust Heiligtum. Meine Schöne lag unbeweglich, nur die Stahlfedern des Sofas erwiderten meine heftigen und geschwinden Stöße, die ich mit jedem Augenblick verdoppelte. Ach, zu bald entfloß mir der Wollustbalsam, und ich verlor Geist und Leben!

Meine Schöne hielt meinen Mund fest auf dem ihrigen, als ob sie mein fließendes Leben auffangen wollte.

»Meine Besorgnis war nicht unbegründet. Feuer haben Sie nun in mich gegossen – Oh –! Es zehrt und brennt! Und Sie – liegen ohne Kraft! – Oh! –«

Sie fing an, ihren Hintern kräftig zu bewegen.

»Schöne Frau«, sagt' ich mit schwacher Stimme, »Sie hatten mich zu lange hingehalten. – Nur noch einen Augenblick, ich fühle – fühle neues Leben.«

Der Körper meiner Schönen glühte, ihre Augen standen starr, die Wimpern zitterten, ihre Lippen brannten, ihr Atem war ein kurzer Hauch.

Ich fühlte Kraft, umschloß ihre runden Hinterbakken fest und erneuerte den Kampf mit einer Stärke – eins – zwei – drei.

»O – o – o – oh!«

»O – o – o – oh!« zitterte der Atem meiner Glossen, und der Wollustbecher floß über. Sie schlürfte gierig, jedem Zug folgte leises Girren, ein balsamischer Duft stieg aus ihrem schönen Körper, und hie und da drang ein schönes Tauperlchen aus ihren wallenden Milchhügeln hervor.

»Klagen Sie noch über mich, liebe Ohnmächtige?«

»Verzeihen Sie! Ich hab' Unrecht.«

Ich fahr mit meinen Stößen langsam fort und erheiterte ihre wollusttrunkene Seele mit Zungenspiel und feurigen Küssen.

»Wollen Sie nicht ruhen?«

»Noch wär' es zu früh, das Vergnügen meiner lieblichen Huldin abzubrechen.«

»Ich hab' es versprochen, Ihnen heute Freiheit zu lassen und hoffe, Sie werden für Ihr Vergnügen mehr sorgen als für das meinige.«

»Das will ich, schöne Frau, soviel ich es vermag.«

Ich brachte meine Hände unter ihre Hinterbacken und spielte mit den Fingern oben in der Spalte. Meine Schöne lachte laut. »Lassen Sie! – Wer lehrte Sie das? Der Reiz ist zu heftig! – Oh!«

Nicht lange trieb ich das Spiel, und meine Huldin war feurig.

Sie faßte meine Hinterbacken, hob sich, und Stoß und Gegenstoß wurden aufs genaueste abgemessen, und jeden begleitete ein leises Ach!

Bald aber verloren wir unsere Besinnung. Alles Gefühl verlor sich in die wollüstigen Teile, wir stöhnten; jetzt schäumte ihr Becher der Wollust, und ich strömte Nektar hinein, daß er überfloß. In wollüstiges Hinbrüten versunken, mit geschlossenen Augen, lagen wir jetzt lange, von Ambrosienduft umgeben, in süßer Ohnmacht.

Wie bedauer ich dich, feuriger Leser, wenn dein warmes Temperament nie ein ähnliches fand, das mit dem deinigen in eins zusammenfloß! Du verlorst das beseligende Gefühl der höchsten Wollust.

Wir erholten uns; mit zauberischem Lachen betrachtete meine Göttin mein feuriges Gesicht.

»Sie halten Wort, lieber H., ein größeres Vergnügen konnt' ich nicht genießen, als mir diese Umarmung verschaffte. – Wollen wir uns ins Bett legen? Bequemer können wir dort Arm in Arm uns dem Schlaf überlassen.«

»Morpheus wird es uns vergeben, wenn wir die Verwaltung seines Amtes noch verschieben.«

Ich richtete mich auf. Meine Holde wollte das nämliche tun. Ich hielt sie, setzte mich, spreizte ihre Schenkel, streichelte den samtnen Leib und die sanfte Erhöhung über dem Liebeswäldchen. Willig überließ sich meine Schöne allen Spielereien und lohnte sie mit Kuß und Lächeln. Noch stand Schaum vor der Grotte, und der ganze Myrthenhain war überschwemmt. Ich nahm eine Serviette und trocknete sorgfältig die ganze überschwemmte Gegend.

Zauberischer hab' ich wenig Grotten der Liebe gefunden wie bei meiner Glossen.

Wir standen auf, umschlungen traten wir vor den Spiegel und gruppierten uns auf alle ersinnliche Art.

Ich holte meine Tücher und fing an, die Glieder meiner Huldin zu reiben.

»Schalk! – Haben Sie meine auch mitgebracht?«

»Sie haben mir Freiheit versprochen, liebe Göttin, und jetzt ist die Reihe an mir, und wollen Sie, dann an Ihnen –«

»Wollüstling sondergleichen!«

Ich setzte mich, meine Schöne stand zwischen meinen Schenkeln, ich rieb ihre Hinterbacken, ihren Unterleib und nicht selten sanft auch die Lippen ihrer Muschel. Röte überzog nach und nach alle die Teile, sie glühten, und wollüstig öffneten sich die Wollustlippen.

Keuchend vor Wonne sank sie mit ihrem Gesicht auf meine Stirn.

»Ich verschmachte!«

Mein Finger ging in die Grotte, alles war aufgedunsen, Gott Hymen war fast bis an die Tür getreten, vermutlich um Kühlung vor der gewaltigen Hitze zu suchen.

»Ich halt – es nicht aus!«

Ihre Beine zitterten. Mein Amor stand, halb ohnmächtig trug ich sie aufs Sofa und führte meinen Amor ein.

Der Eingang hatte sich geengt, es schloß alles fest. Meine Huldin fühlte kaum die Gegenwart, als sie wütig auf- und niederfuhr. Ihr Feuer ergriff auch mich, ich stieß so behend als möglich. Unser Atem machte Sausen im Zimmer, wie Zephir, wenn er ein Tannenwäldchen durchfährt.

»O – o – o – o – oh!«

Mit neuem Vergnügen leerten wir den vollen Wollustbecher.

»Lieber, holder Gauberer!«

Jetzt trocknete sie meinen Amor ab.

»Bist du gestraft für deinen Vorwitz? Liegst nun da, Lieber kleiner Freudengeber, matt und kraftlos!«

Sie streichelte ihn, spielte an seinen Nektarbehältern, küßte jeden Teil meines Körpers und auch meinen Amor. Diese Ehre erregte seinen Stolz, und eins, zwei, drei stand er in voller Positur.

»Nach dem Genuß der höchsten Wollust? Das ist verwegen!«

»Verwegen, schöne Frau? Soll ich nicht für Ihr Vergnügen sorgen?«

»Sie haben alles getan, was von Ihnen zu fordern war, ich habe Vergnügen genossen wie noch nie.«

Sie küßte mich so zärtlich als möglich.

»Und nun ins Bett! – Und übermorgen will ich sehen, ob ich Ihnen ebensoviel Vergnügen verschaffen kann.«

»Kann ich größeres finden als heut'?«

»Heute hatten Sie Freiheit, Ihre Einbildungskraft walten zu lassen, übermorgen ist die Reihe an mir.«

Sie stand auf und holte eine Flasche Champagner, reichte mir einen vollen Becher, leerte auch einen und führte mich ans Bett. Wir legten uns Arm in Arm unter die weiche Flaumdecke. Ich fühlte Kraft und schwang mich mit einem süßen Kuß über sie.

»O Lieber! Ich bitte, schonen Sie sich!«

Ich legte ihre Schenkel über meine Hüften und begann den Kampf mit vielem Feuer. –

Meine Huldin lechzte bald und vermehrte durch ihr Spielen an meinem Hintern mein Vergnügen noch mehr. Unter heftigen Stößen entlud ich mich so stark wie vorher, und auch bei meiner Schönen ergoß sich die Wollustquelle so reichlich als möglich.

Und nun verwaltete Morpheus sein Amt. –

Hoch stand schon die Sonne am Himmel, als ich erwachte. Mein Gesicht lag auf dem Busen meiner Glossen, und meine Hand bedeckte den Tempel der Wollust.

Ich hob mich leise mit der Decke auf.

Einen schöngeformten weiblichen Körper, wer kann den genug betrachten! Bei jedem wiederholten Anschauen keimen deinen gierigen Forschungsblicken neue Schönheiten entgegen.

Sie schlief sanft, atmete leise, und jeder Zug ihres Gesichts malte Zufriedenheit der Seele.

Ich führte meinen Finger an die Liebesmuschel, liebliches Rosenrot malte den schönen Rand der Öffnung, ich drang langsam hinein, ein zitternder Seufzer stahl sich aus der bebenden Brust. Länger konnt' ich nicht meiner Begier widerstehen.

So leise als möglich legte ich mich über sie hin, und sanft ließ ich meinen Amor in die Grotte der Wollust einschleichen. Der Atem meiner schönen Schläferin stockte und verwandelte sich in einen tiefen Seufzer. So leicht als möglich bog ich mich über sie hin, lag still und lauschte, um ihr erstes Aufblicken mit einem Kusse zu begrüßen.

Sie atmete schwer, und stockende tiefe Seufzer unterbrachen den immer kürzer werdenden Atem.

»Aah! Aah! a – a– ah!«

Es schien, als wollte sich ihr Hintern heben; ich hob mich, und er folgte mir wirklich. Sanft bewegt' ich mich hin und her und empfand ein unbeschreibliches Wonnegefühl bei dem Anblick meiner wollüstigen Schläferin. Mein Reiz ward aber jetzt heftiger und meine Bewegung geschwinder.

»O –o – o – oh!«

Sie schlug die Augen auf, ich drückte einen wollüstigen Kuß auf ihre schon bebenden Lippen.

»Wirklich! Ein Traum, glaubt' ich – Vergnügen – O – o – o – oh! oh!«

Ihre Worte erstarben. Amor und Hymen badeten im Nektar der feinsten Lebenssäfte.

## Fünfzehntes Kapitel

# Die Reihe kommt an sie

Es kann unmöglich anders kommen, als daß ich mich selbst abschreiben muß, da unsere Sprache zu arm an Worten und Ausdrücken ist, um meinen Lesern jede wollüstige Szene getreu zu schildern. Sie werden also verzeihen, wenn ich bisweilen wiedersage, was ich schon einigemal gesagt habe.

Ich blieb acht Tage bei meiner Glossen, und einen Tag um den anderen wurden der Wollust reichliche Opfer gebracht.

»Morgen ist die Reihe an mir«, sagte doch meine Glossen und –

Der andere Tag wurde mit Reiten und Fahren und allerhand munteren Erzählungen zugebracht und in der Hauptsache die strengste Enthaltsamkeit beobachtet, nicht einmal den stark verhüllten Busen durfte ich entblößen, und kein wollüstiges Zungenspiel wurde erlaubt. Wir schliefen jedes in seinem Kabinett, und sogar die Türen wurden nach einem leichten Küßchen verschlossen. Um acht Uhr des dritten Morgens trat meine schöne Glossen in einem rosenfarbig taffetnen Leibkleid in mein Kabinett. Heiterkeit und lachende Freude schwebten auf ihrem Gesichte; ihr langes schwarzes Haar flog wallend über Schultern und Rücken, und ein Sträußchen Vergißmeinnicht war in das lose Haar eingewebt. Wie schäumende Milch brausten ihre schönen Brüste hervor und stolzierten über ihre rosenrote Einfassung.

»Bezaubert von ihrer Erscheinung lag ich da. –

»Heute ist die Reih' an mir; (lächelnd:) nicht so, lieber H.? Und so muß ich auch Ihnen wohl zuerst den ›Guten Morgen‹ bieten?«

»Zauberin! Welche Wonne verspricht mir dieser Anblick für diesen Tag!«

Ich küßte ihre Hand, und sie drückte einen Kuß auf meine Lippen, den Venus selbst nicht entzückender geben kann.

Unter tausend Neckereien kleidete sie mich fast allein an, führte mich zur Schokolade, und dann fuhren wir spazieren und kamen erst zur Mittagszeit zurück.

Nach genossener Mahlzeit gingen wir ins Bad. Hierauf wurde dem Gott der Liebe ein Opfer gebracht, wieder Schokolade getrunken, ein Spazierritt unternommen, zu Abend gespeist und nun –

Verzeihung, meine Leser, wenn mein Gemälde nicht gefallen sollte.

Das Gesicht meiner Glossen gewann durch ihren rosafarbenen Anzug und das fliegende schwarze Haar ungemein, und der Schein des Lichtes machte sie zur anbetungswürdigen Göttin.

Mit immer neuen Neckereien und Spielereien wußte sie die Zeit bis um neun Uhr unvermerkt hinzuleiten.

Wir kamen in ihr Schlafkabinett; sie half mir mich entkleiden, und auch ihr Rosengewand ward des Dienstes entlassen.

Das Hemd sank herab. Mit Lebhaftigkeit drückte sie mich an ihren Busen, rieb meine Hinterbacken und streichelte meinen Amor. Er hüpfte vor Freude in ihrer schönen Hand.

Sie legte sich aufs Sofa und zog mich unter den wollüstigen Küssen über ihren Flaumleib.

»Lieber! Sie liegen still, bis ich bitte, mir zu helfen, nicht wahr?«

»Sie befehlen, liebenswürdige Göttin!«

Sie führte meinen Amor in die Grotte der Wollust. Ich mußte meine Füße unten an die Lehne stemmen und meine Arme über ihre runden Hüften schlingen; dadurch machte mein Körper eine kleine Krümmung, und sie gewann Raum, sich zu bewegen. Nun zog sie ihre Beine an, schlug ihre Arme um meinen Nacken, begann scherzendes Zungenspiel, hob sich jetzt langsam ganz hoch, daß mein Amor tief eindrang, und zog sich jetzt wieder zurück, so daß er bloß in der Vorhalle stand.

»Ruhig, Lieber!«

Ich vergaß es, daß ich mich gar nicht bewegen sollte. Jetzt bewegte sie sich geschwinder und ruhte nun wieder. Sie ward warm, unterließ das Zungenspiel, weil ihr Atem kürzer wurde. Ihre Bewegungen wurden heftiger, so wie sich ihr Auge verkleinerte. Mir fiel es unendlich schwer, ruhig zu sein, und unmöglich war es mir, nicht bisweilen ihre Bewegungen zu erwidern.

»Holder Knabe, gleicht Ihr Vergnügen dem meinigen?«

»Gewiß!«

In der Tat fühlt' ich auch ein unnennbares Vergnügen. Ein sanftes, wollüstiges Zucken in allen Teilen meines Körpers schien meine Nervenspitzen hervorzutreiben und wieder tief zurückzuziehen.

»Helfen Sie – a – aber – langsam!«

Ein Stoß von mir jagte das Wort aus ihrem Munde.

Die doppelte Bewegung blies das Feuer auf einmal ganz an. Scharlach überzog das Gesicht meiner schönen Wollüstigen. Tränen drangen aus den halboffenen Augen, und je heftiger sich der Busen hob, je kürzer und unterbrochener ward der Atem.

»Hel – fen Sie mir!«

»A – a – a – ah – a!«

Ich schloß sie fest an mich, verdoppelte meine Stöße – ihr Wollustbecher floß über.

Und jetzt brach der Damm bei mir; mit unglaublicher Stärke stürzte der Wollustnektar hervor; ihre Zunge zitterte zwischen den Lippen hervor, und ihr kurzer Hauch schien Flamme zu sein. Ich schnob. Hohle Töne stiegen aus meiner Brust und begleiteten das Girren meiner Holden.

Unter heftigen Verzückungen setzte ich meine Bewegungen fort und schien mehr Maschine als denkendes Wesen zu sein, bis ich endlich in süßer Ohnmacht hinsank, die mich fest an ihren Busen drückte.

Neues Spiel begann nach einiger Erholung.

Meine Schöne legte mich aufs Sofa, setzte sich neben mich und erregte mir mit ihren kleinen Händen die süßesten Empfindungen. Die Munterkeit meines Amors freute sie ungemein, sie hielt ihm eine Lobrede über die andere und streute sehr gute Lehren ein.

Jetzt streckte sie ihren weichen Körper über mich hin; mein Atem war gebrochen, und wollüstige Seufzer entstiegen meiner Brust, als ich die liebenswürdige Beute fühlte.

»Wie freut es mich, solche Äußerungen des Vergnügens zu sehen!«

»Engel!« –

Ich vermochte nicht zu sprechen.

Sie schlürfte an meiner Zunge, küßte meine Augen und Stirn und überließ sich ganz ihren wollüstigen Einfällen.

Sie schlang ihre Arme um mich.

»Heben Sie sich etwas und führen Sie Ihren Amor in meine Grotte.«

Ich fühlte ihre Wollustlefzen brennen.

Sie bewegte sich sanft.

»Ruhig, Lieber! Halten Sie sich nur etwas empor.«

Wollüstiger Taumel überfiel mich, der Atem zitterte aus meinem Mund, und meine Augen schlossen sich fest.

Sie küßte meine Augen auf.

»Schau, holder Knabe, doppelt fühl' ich Vergnügen, weil ich das deinige so sichtbar sehe.«

»Ach lie –«

»Lieber, fort – geschwind, geschwind!«

»So bald?«

Sie verdoppelte ihre Bewegung, und wie aus einem angelassenen Springbrunnen schossen mit unglaublichem Vergnügen meine Lebenssäfte in die Höhe.

Feuer durchfuhr meine Holde, sie stöhnte, arbeitete und sank jetzt ohnmächtig auf mich nieder. Nur Zukkungen waren die Bewegungen ihres Hinterns, und mit jeder Bewegung schoß ein Strom des Wollustsaftes aus ihrer Grotte und überschwemmte mich ganz.

»O diese süße Ohnmacht!«

Ihr Körper schien über dem meinigen zu zerfließen; jeder kurz vorher angespannte Muskel war jetzt schlaff; ihre Seele überließ sich dem Taumel beseligender Gefühle.

So wie sich ihr Auge öffnete, schwebte glückliches Lächeln auf ihrem Gesichte.

»Sie können kein übermäßiges Vergnügen genossen haben, und doch wollt' ich gern Ihnen den größten Teil zuwenden.«

»Liebe Schwärmerin, meine Einbildungskraft vermag kein größeres Vergnügen zu erfinden.«

»Dank Ihnen, wenn Sie wahr reden, und zu meiner Befriedigung will ich's glauben.«

Sie stand auf, nahm ein Tuch und trocknete mich sorgfältig ab und führte mich vor den Spiegel.

»Sie sehen das wohl gern?«

Ich küßte und sog an ihrem Milchbusen.

Sie setzte sich auf einen Stuhl und zog mich auf ihren Schoß.

»Lieber Jüngling, Sie werden mir fehlen. Ich habe oft Vergnügen gesucht, hab' es meistens schal gefunden und nie so entzückend und beseligend wie mit dir. Könnten wir uns bisweilen sehen?«

»Mein Schicksal ist unbestimmt, ich soll H. verlassen.«

»Eh du weiter gehst, seh ich dich doch noch?«

»Wenn es menschliche Kraft vermag!«

Lange saßen wir so in liebevoller Umarmung und Gespräch, ihre Hand hatte meinen Amor keinen Augenblick verlassen.

Ich fing an, ihren Körper zu reiben.

»Soll ich das Tuch nehmen?«

»Macht es Ihnen Vergnügen?«

»Sollt' es nicht, wenn ich die schönen weißen Teile unter meinen Händen erröten sehe?«

Sie küßte mich feurig.

»Allein, Lieber, das Feuer, das dadurch erregt wird, ist zehrend, nagt am inneren Mark und ist erstickend wie Schwefeldampf. Und doch reizt es das Gefühl aufs höchste.«

»Ich muß ja für Ihr Vergnügen sorgen, und Sie wollen –«

Sie reichte mir lächelnd ein Tuch und behielt das andere. Mit einem Arm hielt ich sie umschlossen, Busen lag an Busen, die andere Hand arbeitete auf dem fleischigen Hintern.

Wahr ist es, ein gewaltiges Feuer ergießt sich in die Adern, und der Reiz wird am Ende schmerzhaft.

Unsre Knie zitterten, wir schwankten zum Bett und konnten kaum den Augenblick der Vereinigung abwarten.

Bald leerten wir den Becher der Wollust, und Feuer und Reiz dauerte fort, nur daß unsere Bewegungen gemäßigt wurden.

Jetzt hob meine Schöne ihren rechten Schenkel und legte ihr Bein quer über meinen Hintern, oben, wo das Rückgrat endigt, und gab jedem meiner Stöße einen Nachdruck.

Wir fingen unter der Decke an zu duften, unsere Körper wurden feucht; wollüstigere Gefühle hatte ich noch nie empfunden. Der Augenblick der Entwicklung näherte sich, unsere Hintern zuckten mehr als sie sich bewegten, unser Atem war wollüstiges Kreisen.

Fest drückten wir unsere Wollustteile zusammen, verloren Bewegung und Atem; mit offenem Munde und brechenden Augen verfielen wir in der Wollust höchstem Taumel; sanft und mit unnennbarem Gefühl flossen beider Wollustquellen unter mäßigen Zuckungen.

Wer nie Ähnliches empfand, kann sich keine Vorstellung davon machen.

Wir waren ganz, ganz entkräftet und im Wollustrausche überschattete uns Morpheus mit Mohnsaft und fesselte unsere Glieder.

Die Wanduhr schlug neun, als mich meine schöne Glossen mit sanften Küssen weckte.

# Zweites Buch

## Erstes Kapitel

# Der Schauplatz verändert sich

Dem Befehl meines Vaters zufolge bracht' ich meine Sachen in Ordnung, nahm zärtlichen Abschied von Madame Reibhand, Lieschen war nicht mehr da, und reiste ab.

Ich trat eben in mein einundzwanzigstes Lebensjahr.

»Wähle nun, mein Sohn«, sagte mein Vater zu mir. »Dreierlei leg' ich dir vor; willst du Soldat werden, so hab ich dafür gesorgt, daß du mit der Wahl auch Offizier wirst; willst du studieren, so hab ich auch nichts dagegen, nur ist die Frage, was du auf der Schule für einen Grund gelegt hast oder willst du dein Leben als Landjunker beschließen, so passen dazu auch meine Verfügungen, die ich getroffen.«

»Ich wähle das erstere, gnädiger Herr.«

»Nenne mich Vater!«

»Wenn es bei mir steht, mein Vater so wählt' ich den Degen; nur möcht ich doch auch gern einige Jahre die Universität beziehen, um da Kenntnisse zu sammeln, daß ich auf diese und jene Art meinem Stand Ehre mache. Ich könnte auch das Studium wählen und wollte auch da nicht zurückbleiben, so wie ich bis jetzt nicht einen mir leicht vorgelassen habe, und dann wären einige Jahre zu reisen so recht nach meinem Wunsche.«

»Lieber Karl, deine Antwort freut mich von ganzer Seele, und ich bekenne dir offenherzig, daß ich sie nicht so bestimmt erwartet habe. Die guten Zeugnisse deiner

Lehrer waren also nicht bloß Bettelbriefe, wofür ich sie meistens angesehen habe.

Wähle nach deinem Gefallen, ich will dir alles sagen, was du für die Zukunft zu erwarten hast. Noch zwei Jahre, so bin ich sechzig Jahre alt. Ich werde für den reichsten Edelmann gehalten und bin es auch gewesen; allein, meine Art zu leben nach einem ausgedachten und ausgeführten Plane, worüber ich nicht die geringste Reue spüre, hat gemacht, daß ich nicht mehr bin, was ich war.

Ich bin nun so alt, daß sehr vieles, was mir bisher Freude und Vergnügen machte, keinen Reiz für mich hat, und andere Dinge heitern jetzt meine Seele auf, bei denen ich sonst unempfindlich war.

Meine Güter sind verschuldet, und ich würde der Mann nicht sein, der ich doch wirklich bin, wenn ich nicht noch zu rechter Zeit meine Sache ins reine bringen wollte.

Du bist mein Sohn, es wäre ungerecht, wenn ich nicht besonders dabei an dich gedacht hätte.

Hör' also, lieber Freund, meinen Plan, der schon seiner Ausführung nahe ist. Ich habe meine besten Güter verkauft, damit werden alle meine Gläubiger befriedigt, V., W., G. und H. sind auf Leibrenten verkauft, ich bekomme jährlich fünfzehntausend Taler auf meine Lebenszeit. Meine jährliche Dienerschaft entlaß ich mit doppeltem Gehalt und behalte niemand als meinen alten treuen Jäger und meine Lilla. In L. werde ich wohnen, das Gütchen liegt einsam und still und fällt dir auch nach meinem Tode zu.

Dir aber gehört von heute an Blassenheim, weil ich bemerkt habe, daß es dir von jeher gefiel, und das kleine einsame Dunkel. Du hast also von nun an ein jährliches Einkommen von zwölftausend Talern, und findest du treue und redliche Leute, so kann sich's vielleicht erhöhen«

Ich fiel meinem Vater um den Hals, weinte und bat, alles zurückzunehmen; ich wollte gern alle meine Wünsche aufgeben, Soldat werden und mich mit meinem Traktament behelfen, nur sollt' er nicht seine gewohnte Lebensart aufgeben, und sollte auch nach vielen Jahren, die ich ihm noch zu leben wünschte, nichts übrigbleiben, so wäre es mir genug, sein Sohn zu heißen.

»Guter Karl«, fuhr er mit tränenden Augen fort, »ich freue mich, daß ich mich nicht geirrt habe, und um so mehr bleibt meine Verfügung unabänderlich. Ich will mich in Blassenheim auch aufhalten und werde mich freuen, wenn ich dich oft sehe. Alles, um was ich dich bitte: Sei ein ehrlicher und redlicher Mann und versage niemandem deine Hilfe, wenn du kannst und siehst, daß er es verdient. Das ist alles, was ich dir als Vater sage. Übrigens lebe nach deinen Begriffen und Vorstellungen, ich werde dich über nichts zur Rede stellen.

Morgen gehst du nach Blassenheim und machst Anstalten, übermorgen mich und sechs bis acht Gäste zu empfangen. Ich werde dich deinen Untertanen vorstellen und sie dir überliefern.«

## Zweites Kapitel
## Eine Uberraschung über die andere

Am anderen Morgen kam ein Reitknecht zu mir und fragte, was er mir für ein Pferd satteln sollte.

»Welches er will, guter Mann.« –

Ich war zerstreut; der gestrige Vorgang hatte zu großen Eindruck auf mich gemacht.

Ich empfahl mich bei meinem Vater mit tränenden Augen und stockender Stimme. Lilla war bei ihm, ich küßte ihre Hand.

»Soll ich Lilla morgen auch mitbringen?« fragte mein Vater.

»Wollen Sie ohne Lilla kommen, mein Vater, da Sie sie doch streitig allen anderen Damen vorziehen?«

»Du bist mein Sohn«, sagte mein Vater und küßte mich. »Lilla, lieb' ihn wie meinen Sohn.«

»Können Sie zweifeln, gnädiger Herr?« sagte Lilla »Hätte er seine Mutter ehren können, da er mich vom Anfang an geehrt hat?«

»Dafür küß ich dich, Lilla«, erwiderte mein Vater, »und du bist mir einmal so lieb, wenn du das wirklich fühlst, was du sagst.«

Bis nach Blassenheim sind fünf Stunden. Der Reitknecht begleitete mich. Ich sprach kein Wort, stellte allerhand Betrachtungen an über mein künftiges Schicksal und kam eher an, als ich vermutete.

Das herrschaftliche Haus ist ein großes, weitläufiges Gebäude mit einem großen Hofraum. An dem Tor empfing mich meines Vaters alter Haushofmeister.

»Gnädiger Herr«, sagte der alte Grauzopf, »ich habe Befehl, Ihnen die ganzen Ingredienzien dieses Schlosses zu überliefern und zuzuzählen, und wenn Sie wollen, können Sie auch mich, so lange ich lebe, zum Inventarium schlagen. Ich bin in der Familie alt geworden und möchte nun nicht gerne austreten.«

»Also, Alter, er bleibt hier Hausvogt«, sagte ich zu meinem Führer.

»Dacht' ich's doch! Sagt's auch gleich meinem gnädigen Herrn; oh, ich seh's dem gnädigen Herrn an, daß er mich behält.« –

»Noch eins, den Pferdestall!«

Ich fand drei schöne Reitpferde, wobei auch mein Weißfuchs war, den ich nun zu meinem Liebling machte, weil er mich zu der schönen Glossen getragen hatte.

Ich könnte nun viel erzählen von meinen mancherlei Empfindungen, will es aber nicht tun, sondern die Zergliederung der großmütigen Handlungen meines Vaters meinen Lesern überlassen.

»Morgen kommen Gäste, Alter! a

»Weiß ich schon, hab' auch schon backen lassen, und mit dem frühesten will ich den Koch mit seinem Jungen in Bewegung setzen.«

»Also der ganze Haushalt schon in Ordnung?«

»Ja, solange Sie hier bleiben, und dann kommt's auf Sie an, wie Sie's abändern wollen. Der Keller ist auch gut versehen, und darüber bitt' ich mir die Aufsicht aus. – Befehlen Sie eine Flasche Burgunder oder Champagner?«

Fast mit jedem Wort des Alten hörte ich neue Beweise von der Güte meines Vaters.

Es war bald zehn Uhr abends, ich saß noch bei meiner Flasche Wein in einem kleinen niedlichen Zimmer nach dem Garten hin, als mein Alter zu mir kam und sagte, daß eine Dame vor dem Hoftor in einer Halbchaise hielt und nach dem Burgvogt hätte fragen lassen. Er wäre sogleich hinausgegangen, die Dame hätte aber sehr fremd getan, nach der Herrschaft gefragt und ihm endlich befohlen, den gnädigen Herrn um ein Nachtlager zu bitten, weil sie die Nacht überrascht hätte. Er hätte nach ihrem Namen gefragt, den er aber, weil er so kurios klinge, nicht verstanden habe. Die Chaise fuhr jetzt in den Hof. Ich war in Verlegenheit und sagte dem Alten, er hätte ihr ein Zimmer anweisen und von mir nichts sagen sollen.

Ich ging hinunter, mein Alter mit zwei Lichtern voraus.

Eine Dame in einer dicken Florkappe quälte da eine Menge Entschuldigungskomplimente her und sagte in einem fort soviel von Unbequemlichkeit des Reisens, daß mir die Ohren gellten.

Unter Entschuldigungen, daß ich noch gar nicht zum Empfang einer Dame eingerichtet sei, folgten wir meinem Alten, der uns in ein Zimmer brachte und sich, um das Weitere anzuordnen, entfernte.

Ich geriet in die größte Verlegenheit, weil die Dame zu sprechen aufhörte und ich nichts zu sagen wußte.

Mein Alter brachte eine Bouteille Wein und etwas Gebackenes und verließ uns wieder.

»Wollen Sie, meine gnädige Frau, es sich nicht – bequem machen?«

»Mein Kutscher wird wohl meine Sachen bringen.«

»Sogleich will ich befehlen!«

Eben kam mein Alter mit dem Knecht, sie brachten einen kleinen Reisekoffer und gingen wieder.

»Es ist unangenehm, daß mich der Schurke irrefahren mußte – mein Kammermädchen –«

»Wenn Sie erlauben, so werde ich Ihnen Freiheit lassen, und Sie befehlen, wie bald ich die Gnade haben soll, angenehme Ruhe zu wünschen.«

»Oh, in zehn Minuten, in zehn Minuten, es ist ja schon spät!«

Wer war froher als ich? – Die Stimme war mir so widerlich, daß mich nicht die geringste Neugierde, ihr Gesicht unbeflort zu sehen, anwandelte.

Den zehn Minuten gab ich fünf zu und hätte gern noch mehr zugesetzt, wenn ich dabei etwas gewonnen hätte.

Ich ging endlich wieder in ihr Zimmer, es brannte nur ein Licht, sie war mit dem anderen ins Nebenzimmer gegangen.

Ich ging auf und ab. Auf einmal faßte es mich bei den Schultern, ich erschrecke, kehre mich um und stehe wie versteinert.

Die schöne Frau v. Glossen im rosenroten Kleide!

»Das heiß' ich überrascht, nicht wahr, lieber v. H.?«

Ich fiel ihr um den Hals.

»Engel! Und Sie konnten sich so verstellen und mir durch Ihre angenommene widerliche Stimme unangenehme Empfindungen erregen!«

»Die doch jetzt vorüber sind?«

Ich wußte vor Vergnügen nicht, was ich beginnen sollte.

»Wie freue ich mich Ihrer Freude! – Doch vorerst, lieber H., rufen Sie Ihren Alten, daß er mich sieht, und dann mein Mädchen, das vor dem Tor wartet, hereinholt und ihr eine Schlafstelle anweist, und dann – sind wir allein.«

Mein Jonas kam. Er faltete die Hände, und nicht viel fehlte, daß er nicht ein Gottseibeiuns ausrief.

Ich beschied ihn.

»Schon gut, schon gut«, sagte der alte Schalk, »ich will das Mädchen schon betten, daß ihr das Lauschen gewiß vergehen soll.«

Das Mädchen kam und ward abgefertigt.

»Aber liebe schöne Frau, wie habe ich das Glück –«

»Lesen Sie!«

Sie überreichte mir ein Billett. Ich erkannte meines Vaters Hand.

»Wenn die liebenswürdige Frau v. Glossen den jungen Herrn v. H. als Besitzer und Eigentümer von Blassenheim den 13. ds. begrüßen wollen, so werden Sie mich und noch einige Freunde dort finden. Sein Vater glaubt, durch diese Nachricht Ihnen, meine schöne Frau, und auch seinem Sohn keinen unangenehmen Dienst zu erweisen.

W.C.v.H.«

»Der alte Fuchs ist uns auf der Spur. Mag er doch! Nicht, lieber H.?«

»Ich weiß vor Vergnügen keine Worte zu finden.«

»Freut mich, lieber Junge. Wie könnte ich bei dieser Nachricht bis morgen warten? Ich mußte dir ja Glück wünschen, da gewiß niemand größeren Teil daran nimmt.«

Sie küßte mich unaufhörlich, und ich vergnügte mich, das herrliche Weib anzusehen und an ihrem vollen Busen zu spielen.

»Ich möchte wohl gern Vorgang und Veranlassung wissen; allein, ich spare meine Neugierde bis morgen. Komm, holder Knabe, in dein Zimmer, was ich vermag, will ich anwenden, daß du die erste Nacht in deinem Eigentum vergnügt zubringen sollst.«

»Engel der Liebe, wie könnte ich das anders in deinem Arm, an deiner Brust!«

Sie küßte mir jedes Wort vom Mund.

Es war zu Ende des August, und die Abende waren kühl.

Mein alter Jonas verstand sein Amt; im Kamin meines Schlafkabinetts brannte Feuer. Sanfte Wärme und angenehmer Geruch erfüllten das Zimmer.

Ich weiß meinen Lesern keine Ursache anzugeben, wenn es nicht die ist, daß der Vorgang mit meinem Vater und meine jetzige Lage mein Nervensystem so erschüttert hatten, daß mir jetzt jeder kleine Reiz doppelte Schwingung verursachte. Gewiß hatte ich schon alles Vergnügen mit meiner schönen Glossen im Spiel, Kuß und Umarmung genossen; allein, mit so außerordentlichem Gefühl, mit so überschwenglicher Zärtlichkeit hatte ich noch nicht ihren schönen Körper berührt, sie an meine Brust gedrückt und der Liebe Nektar von ihren Lippen geschlürft. Es ist nicht das Stürmische der Leidenschaft, es war hinsinkende Schwäche, herzliche Zärtlichkeit, die mit so wonnigem Entzücken Busen an Busen führte und unsern Geist in den seligsten Zustand versetzte.

Wir waren entkleidet, legten uns nieder und sanken in ein wollüstiges Daunenbett. Fest umschlossen, Lippe an Lippe, kein Laut, nur leiser Hauch ging aus einem Mund in den anderen über, der bisweilen in Seufzen sich umwandelte, lagen wir lange. Stillschweigend erstieg ich endlich der Liebe Thron. Ein lautes Ach kündigte Amors Ankunft in der Grotte der Wollust an. Unser Gefühl stieg aufs höchste, bedurfte keines Hände und Zungenspiels, und in stummem, zärtlichem, ohnmächtigem Hinsinken leerten wir den beseligenden Becher der Wollust und taumelten dem lieblichsten Schlaf in die Arme!

Noch hielt mich meine Glossen fest in ihren Armen, als ich erwachte. Ihr ganzer Körper duftete, und jeder Muskel war so sanft wie unser Flaumbett, das uns umgab. Kein leidenschaftlicher Zug durchfurchte ihr schönes Gesicht, nur zärtliche, himmlische Liebe hatte ihre schöne Seele hingezeichnet. – Mit den zärtlichsten Küssen weckte ich sie, sie schlug die Augen auf:

»Ach, lieber H., jedesmal glaubte ich, nun hast du alles Vergnügen genossen, dessen eine menschliche Seele fähig ist, und jedes folgende Mal war es doch größer; aber den Grad, in dem ich es gestern genoß, kann es gewiß nicht überschreiten.« Sie küßte mich unaufhörlich.

»Jüngling, ganz geschaffen zum Genuß alles dessen, was das Menschenleben Beseligendes hat, höre mich: Sei fest und laß dich nicht hinreißen zur niedrigen Wollust, die alle beseligenden Gefühle zerstört!«

Jedenfalls wird das in dem Mund der schönen Glossen vielen von meinen Lesern paradox klingen, besonders wenn sie dabei bedenken, daß sie die Frau eines Offiziers ist und jetzt in meinen Armen liegt.

Daß wir ohne innige zärtliche Vereinigung und ohne der Liebe ein reichliches Opfer zu bringen nicht aufstanden, hätte ich wohl nicht erst berühren dürfen, da es ebenso natürlich war, wie ein Kapitel auf das andere folgt.

## Drittes Kapitel
# Eine Festlichkeit

Mein Vater langte mit seiner Lilla zeitig an. Ich führte ihn zur Glossen, er küßte sie, und lächelnd sagte er:

»Meine gnädige Frau, die unvermutete und geschwinde Reise ist Ihnen doch wohl bekommen? Sie müssen sich sehr früh aufgemacht haben, da Sie mir zuvorgekommen sind.«

Ohne etwas zu sagen, nahm sie meinen Vater und mich am Arm, führte uns in mein Schlafkabinett, zeigte aufs Bett.

»Verdenkst du mir's, alter Sybarit, daß ich mich diese Nacht hier in diesem Bett in den Armen des schönsten Jünglings von meiner zehnstündigen geschwinden Reise erholt habe?«

Mein Gesicht ward mit Feuer übergossen, und meine Augen brannten.

v. H: »Sehen Sie, schöne Frau, den guten Jungen reut es, weil Sie ihn verraten.«

Glossen (sie umarmte und küßte mich:) »Nein, Lieber, es reut dich nicht, nicht wahr? Dieser alte Sybarit kennt das Angenehme des menschlichen Lebens, und sein Herz ist wohlwollend, als daß er jemandem das geringste Vergnügen mißgönnen sollte. Wäre er nicht so alt und ich nicht schon gebunden; er müßte mein Gemahl sein. Nicht wahr, lieber Alter, auch dann würdest du mir nicht die süße Umarmung eines liebenswürdigen Jünglings mißgönnen!«

v. H.: »Schäkerin, weißt du wohl, daß du Geheimnisse

ausplauderst, die gewöhnliche Erziehung und Unterricht nicht verdauen können?«

Glossen: »Es wäre Mißgunst, deinem liebenswürdigen Sohne, der nur dein Sohn zu sein verdient, etwas zum Geheimnis zu machen, was ihm das geringste Vergnügen rauben könnte.«

v. H.: »Wenn du meinst, so nimm meinen Dank!«

Er küßte ihren Mund und ihre Milchhügel und entfernte sich mit den Worten:

»Karl, du hast gut gewählt.«

Glossen: »Haben Sie das, verschämter Jüngling?«

Ich: »Bei Gott! Sie haben mich außer Fassung gebracht.«

»Nun, so will ich dich solange küssen, bis du wieder deine Fassung erhältst.«

Und damit zog sie mich in mein Zimmer, warf mich aufs Sofa, küßte, kitzelte mich und brachte mich ganz in Feuer. »Du glühst, Jüngling.«

Sie schloß die Tür ab, löste meine Beinkleider; ich deckte ihren leichten Rock auf; sie schwang beide Schenkel um mich und – die heftige Ergießung endete mit einer süßen Ohnmacht den Scherz.

Meine Gäste kamen nun nach und nach an; ich empfing sie und erntete ebensoviel Lobsprüche ein wie mein Vater, und besonders von zwei gnädigen Frauen, die ihre gnädigen Fräuleins mit sich hatten.

Die Gesellschaft bestand aus sechzehn Personen.

Wir setzten uns zur Tafel, und die kleine Kapelle meines Vaters erheiterte durch eine angenehme Musik unseren Geist ebensosehr als der begeisternde Rebensaft. –

Um drei Uhr hörten wir die Dorfglocke läuten.

»Nun sind sie beisammen«, sagte mein Vater, »wollen Sie mir folgen?«

Sie folgten alle und wußten nicht wohin. Er führte uns auf den großen Gemeindeplatz im Dorf. Alles war versammelt, von dem Ältesten bis zum Jüngsten.

Die Dorfmusik begann. Mein Vater eröffnete mit einem jungen Bauernmädchen den Tanz, wir folgten seinem Beispiel und vergnügten uns an der rohen, ländlichen Freude.

Wie der Abend und die Nacht hingebracht worden, mögen sich meine Leser nach Gefallen vorstellen, ich will sie wenigstens mit allgewöhnlichen Dingen nicht ermüden.

Den folgenden Morgen, nach eingenommenem Frühstück, verließ mich mein Besuch, und nur mein Vater und meine Glossen blieben.

Es wurde der Plan für meine Zukunft entworfen. Der alte Jonas bekam die Aufsicht über mein Gut. Ich sollte zu meinem Regiment, bei dem ich als Leutnant angestellt war. Kommendes Frühjahr wollt' ich dann die Akademie besuchen und was so mehr war.

Mein Vater gab mir einen erfahrenen Menschen zum Bedienten, und meine Reise ward nach acht Tagen festgesetzt.

## Viertes Kapitel

## Anmerkung zur Erläuterung der Geschichte

Meine Leser werden es vielleicht nicht ungern sehen, wenn ich ihnen, ehe ich mich zu meinem Regiment verfüge, eine kurzgefafte Erläuterung über meinen Vater und meine schöne Glossen gebe.

Die das Kapitel für überflüssig halten möchten, belieben es nur gefälligst zu überschlagen.

Ich habe schon gesagt, mein Vater war der Letzte seines Stammes und der reichste Kavalier im Land.

Sein erster Glaubensartikel war: Liebe Gott und deinen Nächsten, und ein zweiter: Der Mensch ist zum Vergnügen geschaffen, und aus diesen beiden formte er den ganzen Plan seines Lebens, als er auf seine Güter zurückkehrte.

In Anschauung seiner Liebe kennen ihn meine Leser: Er glaubte, wie der Mensch in allen Dingen der Veränderung unterworfen sei, so sei er es auch in der Liebe, und angenommene Fesseln der Ehe störten den ersten Endzweck: das Vergnügen, wozu der Mensch geschaffen sei.

Die schöne Glossen war ebenfalls der Meinung meines Vaters in Anbetracht des Vergnügens. Sie war die einzige Tochter eines Edelmannes, der sie an ihren Mann verheiratete, starb und ihr ein mäßiges schuldenfreies Gut hinterließ.

Sie besaß ungemein viel Talent und einen umfassenden Geist. Bald fand sie, daß ihr Gemahl nicht ihr Dasein ausfüllen konnte. Jugendliche Ausschweifungen hatten ihn schon in seinem dreißigsten Jahre einem abgemagerten Greis gleichgemacht. Wie wenig Befriedigung fand ihr feuriges Temperament!

Sie war eben zwanzig Jahre alt, als sie den Herrn v. B. kennenlernte und sich bald in seinen Armen fand, daß sie keine Ursache hatte, ihren Entschluß zu bereuen.

Herr v. B. blieb in einem Zweikampf; die Frau von Glossen betrauerte ihn in ihrem Herzen und suchte vier Jahre und fand keinen, mit dem sie nach ihrer Vorstellung das Vergnügen des Lebens genießen könnte.

Sie hatte mich lange beobachtet, beschloß endlich einen Versuch, und meine Leser wissen, wie. –

## Fünftes Kapitel
## Enthält nichts Wichtiges

Ich kam nach der Hauptstadt, in der mein Regiment lag; zeigte mich dem General und allen Offizieren vom Regiment; lernte exerzieren und zog immer mit auf die Wache.

Ich machte Bekanntschaften, besuchte Gesellschaften, und hätte ich mir nicht einige Bücher angeschafft, so hätte ich manche langweilige Stunde gehabt.

Eine Bekanntschaft in meinem Quartier freute mich. Es war ein Gelehrter, der trotz seiner weitläufigen Kenntnisse schon zwanzig Jahre auf eine Versorgung wartete und immer jungen unbärtigen Söhnen in Ansehen und Amt stehender Väter nachgesetzt wurde.

Ich teilte mit ihm meine Gage und hörte ihn täglich zwei Stunden über den Menschen, die Welt und deren allgemeine Verfassung sprechen. Ich lernte bei dem Mann methodisch, ohne eigentliche Logik, denken; lernte vergleichen und abstrahieren und Begriffe sammeln.

## Sechstes Kapitel
# Mutter Dore

Oft hatt' ich auf der Parade von dem und jenem die Fragen gehört:

»Geht's heut' zu Mutter Dore?«

»Wann treff ich dich bei Mutter Dore?«

Einmal fragte ich einen hageren Leutnant mit hohlen Augenhöhlen und blauer Garnierung, was es damit für Bewandtnis habe.

»Blitz und Wetter!« entgegnete er, »Sie kennen Mutter Dore noch nicht? Ei der Teufel, so kennen Sie ja noch gar nichts! Ei, ich will verdammt sein, die müssen Sie kennen! Verdamm' mich Gott, wir wollen heut' noch hin! – Freilich, das sag' ich Ihnen vorher, gehänselt werden Sie, ein paar Flaschen Champagner wird Sie's kosten; aber das versicher' ich Sie auch bei meiner Ehre: Spaß sollen Sie dafür genug haben. Um wieviel Uhr, v. H., soll ich Sie abholen?«

»Aber sagen Sie mir doch, was ich da zu erwarten habe.«

»Werden's schon sehen. Donnerwetter, soll's einen Spaß geben! Um vier Uhr komm' ich, nicht wahr? Bei Abend nimmt sich so'n Spaß immer besser aus. Will's noch einem guten Freund sagen, woll'n rechten Spaß haben.«

Ich hatte an des Menschen Lärmen so vollauf genug, daß ich nicht gern einen zweiten fragte, sondern lieber auf meine Gefahr die Sache untersuchen wollte.

Zum Glück fiel mir meine gelehrte Bekanntschaft ein, ich fragte also hier an.

Die Antwort war:

»Mutter Dore ist ein Weib, wo man für doppelte Bezahlung schlechtes Bier und noch schlechteren Wein trinkt und feile Mädchen findet, die Zucht und Scham für Todsündc halten.«

»So werd' ich für den Leutnant nicht zu Hause sein.«

Auf seine Frage erzählte ich ihm den Vorgang auf der Parade, und er sagte:

»Sie müssen hin, und das aus zweierlei Ursachen. Erstlich, weil Sie sich sonst allerhand Sticheleien und Schraubereien aussetzen, und dann, weil nach meinen Begriffen ein junger Mann alles sehen muß.

Aus Vorsorge lassen Sie Ihre Uhr zu Hause und stekken höchstens einen Louisdor zu sich, im Fall Sie glauben, daß Sie nicht genug auf Ihrer Hut sein könnten. Sie werden eine besondere Seite des menschlichen Herzens kennenlernen; erzählen Sie mir morgen davon, so will ich Ihnen eine Paraphrase darüber machen.«

Um vier Uhr ging es also zu Mutter Dore. Wir traten in ein kleines Haus in eincm dunklen, abgelegenen Gäßchen. Ich folgte voller Erwartung in ein geräumiges Zimmer. Ein ältliches, feistes Weib mit kecken Augen empfing uns.

Leutnant: »Hier bringe ich einen jungen Ritter, Mutter Dore, der deine Ware feilschen will.«

Dore: »Du Saukerl, wie fällt denn ein so wackerer Kerl in deine Hände? Möchtest was drum geben, wenn du ihm nur von hinten glichest!«

Ich staunte über das artige Kompliment.

Sie faßte mich am Kinn.

Dore: »Wahrlich, du bist ein schöner Junge! Was macht Mama und Papa?«

Ich: »Sie befinden sich wohl und sagten mir, wenn mir eine solche alte Vettel so begegnete, sollte ich ihr einen Nasenstüber geben.«

Dore (überlaut lachend): »Aber, lieber Junge, spare deine Bravour und deine Hand für den Degen, an meiner Nase wäre beides am unrechten Ort.«

Der andere: »Wo sind die Mühmchen, du alte Donnerhexe, ich sch... auf dein Schwatzen.«

Der Dritte: »Geh, altes ...«

Lauter Komplimente, die mich die Sauberkeit der Gesellschaft mit einem Blick übersehen ließen.

Nun erschienen die Mühmchen. Sehr artige Gestalten, die nichts als eine mir unbegreiflich freche Miene entstellte.

Dore: »Dort, Mühmchen, bewillkommnet den neuen Herrn Vetter!«

Sie sprangen alle auf mich los, ergriffen und küßten mich mit einem lauten: »Willkommen, lieber Vetter! Bei meiner Seele, du bist ein braver Junge geworden!« – Jede zog mich an sich, jede wollte mich allein für sich haben, und alle riefen zugleich:

»Geh du zu deinem Hohlauge!«

»Du, die Stumpfnase wird böse, geh!«

»Dünnschenkel wartet, marsch mit dir!«

Ein Getöse, daß mir die Ohren summten. Endlich kam Mutter Dore und sprach:

»Fort mit euch, wir müssen erst sehen, ob er das Maß hat.«

Sie hatte eine Maschine, fast wie ein Schuhmachermaß, in der Hand.

»Mach die Hosen auf, junger Ritter, hier wird keiner angenommen, der unter dem Maß ist!«

Ich wurde ärgerlich.

»Für das Gerede, welches mich anekelt, holt lieber einige Flaschen Champagner und laßt mich in Ruhe.«

Die Bouteillen kamen, und mir als Wirt ward die Wahl gelassen, welches Mühmchen ich zu meiner Gesellschafterin wählen wollte. Ich nahm eine niedliche Blondine, in deren schmachtenden blauen Augen nur wenig Frechheit zu finden war.

Das Gespräch wurde bald munterer, das heißt, es gestaltete sich zur gemeinsten Zotenreißerei. Mich freute es, daß ich so gut gewählt hatte.

Meine Nachbarin, entweder weil sie meinen Widerwillen bemerkte oder selbst keinen Geschmack daran fand, war sehr gemäßigt in ihren Ausdrücken.

Ich küßte sie oft, allein es mangelte etwas, Geist und Leben fehlte ihrem Zungenspiel; alles war so wässerig, ohne Kraft. Ich durchsuchte ihren Busen; eine feine, schneeweiße Haut, aber ihre Brüste weich und ohne alle Sprungkraft. Sie strengte ihre Brust an, damit sie sich heben sollte, allein nur das Knochengebäude hob sich.

Sie gab sich alle erdenkliche Mühe, Feuer in mir anzuschüren, richtete aber weniger aus als das geringste Berühren eines Fingers meiner schönen Glossen.

Der Wein hatte die Geister erhitzt. Man wünschte, daß die Mühmchen sich entkleiden sollten. Ich fragte meine Blonde, wie ihr der Vorschlag gefiele. Mit Achselzucken antwortete sie: »Leider bin ich in der Lage, daß ich es tun muß, und nach und nach bin ich so weit gekommen, daß mir nur noch eine schwache Erinnerung der Zeit übrigbleibt, da mir diese Zumutung, mich so öffentlich zu entkleiden, abscheulich vorkam.«

Unsere Mühmchen wurden entkleidet, mußten tanzen und allerhand Posituren machen, wie sie die ausschweifende Einbildungskraft vorschrieb. Gewiß waren es sehr niedliche Körperformen, allein schon ihrem Verblühen nahe.

Indes hatte doch das Spiel mein Temperament rege gemacht, und als ich sah, daß einer meiner Gesellschafter mit seiner Nachbarin verschwand, da trug ich meiner Blondine ein Gleiches an.

»Sie dürfen befehlen, und ich muß gehorchen. Weigerung ist hier nicht am Platz«, antwortete sie, und wir erhoben uns.

Wir gingen in ihre Kammer. Ich legte sie aufs Bett. Wärme hatte ihr Körper wohl, aber nicht jene, flammende Begierde erregende. Ich betastete die schlaffen Muskeln, befühlte den Wollusttempel; die so reizbare Erhöhung über dem moosigen Gestade war nicht mehr vorhanden, war ganz eingedrückt, und all mein Tändeln hatte keine andere Wirkung als Lächeln und Küsse ohne Feuer.

Ich setzte mich in Positur.

Meine Blonde wandte alles an und zeigte sich als Meisterin im Wollustspiel. Aber es fehlte ihr das hinreißende Feuer.

Sie fühlte, daß bei mir die Entscheidung nahte.

»Halten Sie sich so ruhig wie möglich!«

Ich gehorchte ihr, sie preßte mit beiden Händen die Dünnung über meinen Hüften und arbeitete mit zukkenden Stößen unter mir. Ich muß gestehen, meine Ausleerung war von vielem Vergnügen begleitet.

»Sind Sie mit mir zufrieden?«

»Allerdings, liebes Mädchen, allein du scheinst an dem Vergnügen keinen Teil zu nehmen.«

»Und doch habe ich seit langer Zeit nicht den zehnten Teil von dem heutigen Vergnügen genossen«, sprach sie und küßte mich feurig. »Sie haben noch Kraft, wollen Sie mir ein Vergnügen gönnen, dessen ich mich kaum noch erinnere?«

Jetzt fühlte ich ihre Muskeln schwellen, ihr Gesicht überzog sich mit einer Purpurröte, und ihr Atem ward zitternd.

»Sie zögern – recht so – ein Mädchen von meiner Sorte ist nicht wert, ein Vergnügen zu genießen, welches nur reiner Liebe gebührt.«

Auf einmal gefiel mir das Mädchen, ihr schönes blaues Auge stand in Tränen, und die Frechheit war nicht mehr darin. Ich küßte sie und erfüllte ihren Wunsch, indem ich mit beiden Händen ihre Hinterbacken emporhob und mich stark bewegte.

»Oh – wohltätiger Engel – nur noch einmal – ah! –«

Wie schön das Mädchen jetzt in ihrer wollüstigen Ohnmacht dalag!

»Unmöglich bist du zu diesem Handwerk geboren, liebes Mädchen.«

(Stockend): »Nein – das nicht – oh –«

Ihr Auge stand starr.

Ich vergrößerte ihr Vergnügen bedeutend, indem mein Nierensaft ihre geöffneten Wollustdrüsen befeuchtete.

»Oh – so wohl – ward mir's nie –«

»Mädchen, du schwärmst.«

(Nach einiger Erholung:) »Ich schwärme nicht. Können Sie glauben, daß ich Vergnügen finden kann, wenn ich jeder Ausleerung, zu jeder Zeit, von jeder Person zu Diensten stehen muß? Wie ekelhaft ist manches männliche Gerippe, das ich in meine Arme schließen muß! Und dann noch obendrein die Besorgnis, häßliches Gift statt vergnügenden Wollusttrank zu empfangen und dann Unschuldige wieder zu vergiften.«

Ein Lärm vor unserer Kammer störte unsere Unterhaltung. Ich öffnete die Türe, ein Mühmchen, noch nackend, trat herein.

»Bei meiner Seele, Schwester, ich bin eifersüchtig. Ihr könnt kein Ende finden, und wir armen Luder machten uns die Hände blutig reiben und –«

Ein ekelhaftes Geschwätz. Sie setzte sich zu mir.

»Hast du mir denn gar nichts aufgehoben?«

Sie griff an meinen Amor. Ich stieß sie zurück.

»Ei, das Knäblein, wie züchtig! – Da, sieh her, Junge, hier gibt's auch noch zu schmausen, und ich will auf dem Misthaufen krepieren, wenn es nicht wärmere Speisen hier setzt als bei der schmachtenden Magdalena, der alles Feuer mangelt!«

Sie führte meine Hand an ihre Muschel, die stark angelaufen war und wie Feuer brannte.

»Fühlst du wohl? Jene Schäker verstehen höchstens, das Ding warm zu machen, und dann keuchen, wakkeln und fallen sie wie die Fliegen vom Reif.«

Sie stieg auf, wie ein Blitz saß sie auf meinem Schoß, das Gesicht mir zugekehrt und beide Schenkel um meine Hüften geschlungen, umhalste und küßte mich wie eine Furie.

»Nun, lieber Junge, lösche mein Feuer, glaube mir, es sind, bei meiner Seele, keine Narrenpossen, wenn man so geil gemacht wird und keine Befriedigung findet!«

Ich wollte sie fortstoßen, allein sie klammerte sich so fest an mich und bat in einer so eigenen Art, daß ich wohl merkte, ich müßte ihr willfahren, wenn ich mich auf gute Art aus dem Handel ziehen wollte. Ich fragte also meine Blonde, ob sie uns ihr Bett räumen wollte, sie war willig, allein die Dirne verlangte das nicht.

»Rücke nur besser vor und bleibe so sitzen. – So – noch besser – so –«

Sie führte meinen Amor in ihre ziemlich weite Muschel, empfing ihn mit lautem Schaudern und Zähneklappern und fing unter lautem Krächzen so heftig auf meinem Schoß an zu arbeiten, daß sie über und über in Schweiß geriet.

Die Neuheit der Positur trug wohl das meiste bei, daß meine Wollustnerven ziemlich reizbar wurden. Ich preßte das Mädchen, hob mich und unterstützte sie. Mein Amor strömte, und mit lautem Jubel empfing das Mädchen den Wollustsaft, sie tobte wie unsinnig, bis endlich ihre verschlossene Quelle durchbrach und brausend überfloß. Sie verlor Kraft und Bewegung. Meine Blondine war aufgestanden und hatte ein leichtes Kleid angezogen. Mit ihrem Beistand hob ich mich auf und legte das wollustgierige Mädchen, das wie ohnmächtig an mir hing, aufs Bett. Ihr Hintern hob sich leicht, ihre Muschel schäumte noch, und die schwarze Einfassung war überschwemmt.

Genug davon.

Wir kamen wieder zusammen, und nun wurden meine Begleiter von dem schwarzen Mädchen auf eine entsetzliche Art mitgenommen. Sie war unerschöpflich an Ausdrücken, die ihren entnervten Zustand schilderten; nur fielen sie freilich oft oder meistens ins Niedrige. Das Mädchen hat keine Erziehung gehabt.

Voller Betrachtungen ging ich nach Hause.

## Siebentes Kapitel
# Ehrenhalber geht es nicht anders

Meine Leser kennen mich zu gut, als daß sie nicht vermuten sollten, daß ich nicht jungen und schönen Damen fleißig meine Aufwartung gemacht hätte. Anfangs wollt' es nicht recht klappen, ich glaubte, nirgends den Ersatz meiner Glossen zu finden, und wenn nicht mein Naturtrieb mich umgestimmt hätte, so würd' ich noch lange ohne Liebschaft geblieben sein.

Ich kannte schon einige Zeit eine Frau v. F., ein schlankes Weib mit hellblauen Augen, die nur zu sehr ihre Hauptneigung verrieten. Ich bemerkte bald, daß ich ihr nicht gleichgültig sei, beschloß, mein Heil zu versuchen, und versprach mir um so mehr Erfolg, weil ihr Herr Gemahl ein leidenschaftlicher Spieler und also selten zu Hause war.

Es traf sich, daß er eben in eine Gesellschaft kam, wo mehrere seinesgleichen waren, daß ich also vermuten konnte, nachdem sie sich an den Spieltisch setzten, daß sie nicht so bald auseinandergehen würden, und ich beschloß also, der Frau v. F. aufzuwarten.

Ich traf sie lesend an.

»Mein Herr v. H., wie widerfährt mir diese Ehre?«

»Gnädige Frau, ich habe schon längst das Glück gewünscht, konnte aber bisher gewisser Bedenklichkeiten –«

»Bedenklichkeiten? Inwiefern? Ein junger Mann von Ihrer Art, welche Bedenklichkeiten sollte der haben, einer Dame aufzuwarten?«

»So nennen Sie es Unerfahrenheit, Schüchternheit, fehlerhafte Erziehung –«

»Gegen all das spricht Ihr lebhaftes Auge.«

Ich küßte ihre Hand, und sie erwiderte es mit sanftem Händedruck.

Ohne weitere Umschweife, meine Herren und Damen, nach einigen Präliminarien küßt' ich nicht mehr ihre Hand, sondern ihren Mund, fand aber ihre Lippen rauh und unangenehm.

Meine Hand erlaubte sich, in die Schnürbrust zu stehlen und fand – sie leer. Einen knöchernen Busen, ansehnliche Warzen an lappiger, unmerkbarer Erhöhung, verbarg ihr dichtes Florgewebe. Mein Entschluß reute mich. Ehrenhalber mußt' ich doch nun das Spiel fortsetzen. Nach einiger Weigerung glitscht' ich ihr unter ihren Rock; kaum berührte meine Hand den welken Schenkel, so fiel sie mir wütig um den Hals, überströmte mein Gesicht mit Küssen und schaffte meiner Hand alle Bequemlichkeit.

Ich fand hartes, struppiges Haar, tiefhängende Lefzen und eine überaus große Öffnung.

Die Frau brannte, sie riß meine Beinkleider auf, streckte sich aufs Kanapee und erwartete mich in völliger Positur. Ich warf jetzt einen Blick auf ihren struppigen Wollustteil, er schien zu gähnen –

Ehrenhalber mußt' ich wohl!

Ich expedierte mich kurz; sie schloß mich fest an sich.

»Oh, noch etwas für mich!«

Ehrenhalber mußt' ich wohl!

Abgerechnet, daß alle Würze des Vergnügens, wohl das Vergnügen selbst wegfällt, wenn uns unser gutes Glück in die Arme eines solchen Frauenzimmers führt, so hat es auch noch das Unangenehme, daß man sich anstrengen muß und seine Kräfte erschöpft.

Ohnehin greift der Genuß in Kleidungsstücken mehr an und vermindert das Vergnügen, weil die Ausduftung der liebewarmen Körper sich nicht gehörig austreiben, mischen und mitteilen kann, welches doch hauptsächlich dazu erfordert wird, und nun nehme man noch einen Körper dazu, der nicht im geringsten reizt und wo die Einbildungskraft das meiste tun muß, weil man vermöge eines gewissen Ehrgeizes nicht abtreten will.

Es ist ein Verlust der Kräfte, der mehr erschöpft als unmäßiger Genuß bei einem schönen Körper.

Ich sage vielleicht noch etwas mehr davon in einem folgenden Kapitel.

Achtes Kapitel

## Eine harte Probe

Da mich der Frau v. F. niedliches Gesicht hintergangen hatte, so suchte ich unter meiner Bekanntschaft, ob ich wohl irgendeinen Ersatz für die unangenehme Stunde finde, und meine Wahl fiel auf die Gräfin T-g.

Sie war höchstens vierundzwanzig Jahre alt, zwischen Brünette und Blondine, hatte eine sehr feine Haut und war fleischig. Ich forschte in ihren strahlenden Augen, ob ich wohl zurückgewiesen würde, und fand zu meiner freudigen Überraschung, daß ihr mein Forschen nicht entging, ja sogar ihren Beifall hatte. Nur war eine große Frage, wie ankommen. Ihr sechzigjähriger Gemahl bewachte sie nämlich wie ein Argus.

Ich machte verschiedentlich meine Aufwartung, aber nie traf ich sie allein und konnte keinen Augenblick gewinnen, um ihr auch nur ein Wort zu sagen.

Fast gab ich alles auf, denn mein warmes Temperament verlangte Befriedigung, als ein blinder Zufall günstig für mich entschied. Der Herr Graf wurde nämlich krank. Ich wußte nichts davon, war auf der Maskerade und hatte mir vorgenommen, eine liebreizende Maske aufzusuchen.

Plötzlich redete mich ein häßliches Bauernweib an, nahm meine Hand und zeichnete mit ihrem Finger T-g hinein.

Ich verstand es nicht, und die Maske führte mich in ein Nebenzimmer, zog dort ihre Larve ab – und siehe da, die Gräfin stand vor mir.

Welche Überraschung!

Vor Freude küßte ich sie.

»St! – Mein Mann ist krank; wenn Sie glauben, bei einer Dame, welche aus Ihrem bisherigen Betragen geschlossen hat, daß sie Ihnen nicht gleichgültig sei, mehr Vergnügen als hier zu finden, so folgen Sie mir.«

Sie entfernte sich, ohne meine Antwort abzuwarten.

Ich folgte ihr, gab Domino und Maske meinem Bedienten und stieg mit ihr in den Wagen.

Als wir in ihr Haus kamen, führte sie mich in aller Eile in ein dunkles Zimmer, küßte mich und entfernte sich.

Fast eine Stunde saß ich hier und wäre bald ungeduldig geworden, als die Tür geöffnet wurde. Meine Gräfin erschien und führte mich ins Nebenzimmer.

»Wenn ich Sie aber besserem Vergnügen entzogen hätte?«

Ich schloß beide Arme um ihren Körper.

»Besseres Vergnügen? Einen so weichen schönen Körper in seine Arme schließen, einen so rosigen, frischen Mund küssen dürfen! Welch Vergnügen könnte dies überwiegen?!«

Ich muß gestehen, wie ich ihren fleischigen Körper so an mich schloß, verfiel ich in einen wahren Taumel, und der heiße Atem der Gräfin war Beweis genug dafür, was in ihr vorging.

Es stand ein niedliches Bett an der Wand, ich nahm die Gräfin bei der Hand, führte sie hin, und ihre Hand zitterte; ich setzte sie, und sie seufzte. Ich löste ihre Busenschleifen und staunte, wie mir zwei Schneebälle von ungewöhnlicher Größe (für mich damals ungewöhnlich) entgegenrollten. Es war, als ob meine Hände in Milchschaum wühlten.

Ich sog an ihren Lippen, ward feurig, sprang auf und riß meine Kleider ab.

»Was wollen Sie? So sicher sind wir nicht!«

Ich hörte nicht, stand da im bloßen Hemd, riß das zögernde Band von ihrem Rock und glitschte in einem Nu mit meiner fleischigen Göttin unter die Bettdecke.

Es war kein geringes Vergnügen für mich, das versichere ich auf meine Ehre, wie ich so den flaumweichen Körper an mich drückte. Es war mir neu, so dicke, weiche Schenkel und Hinterbacken zu befühlen, in denen meine Hände fast versanken. Und noch mehr neu war es mir, als ich nach der Wollustgrotte hinging und Gott Hymen vor dem Eingang fand.

Die Gräfin schauderte, als ihn meine Finger berührten, und der Schalk fuhr zurück. Ich streckte mich über ihren weichen Körper hin.

Legt euch auf ein weiches Daunenbett, und ihr habt einen Begriff, wie mir zumute ward! Wie man in dieses sinkt, so sank ich hier in schaumähnliches Fleisch. Meine Gräfin empfing mich mit einem wollüstigen Seufzer, drückte meinen Mund auf den ihrigen und sog an meiner Zunge, als wollte sie mir sie aus dem Mund ziehen.

Ich leitete meinen Amor zurecht. Gott Hymen machte ihm den Eingang streitig, und erst nach einigen Nekkereien ließ er ihn ein.

Noch nie war mein Amor mit so wollüstigen Gefühlen in die Grotte gelangt, und noch nie ward er mit so lautem Jubel empfangen. Ich nahm all mein Fassungsvermögen zusammen, um nicht sogleich von meinem Gefühl überwältigt zu werden, und fand außerordentliches Vergnügen, meine schöne Gräfin zu betrachten. Denn da sie einen ziemlichen Hängebauch hatte, so mußte ich mich, ungeachtet sie sich ziemlich hoch hielt, doch auf die Hände stützen, um die Richtung zu behalten, und also lag sie ganz vor meinen Augen; ich konnte jede Äußerung des steigenden Gefühls bemerken.

Ihr Auge verkleinerte sich mehr und mehr, je mehr sich die Röte ihres Gesichts erhöhte. Ihr Mund ward halb offen und ihre Zunge in beständiger Bewegung. Ihr Atemholen ward abgebrochener und immer lauter. Ihr Busen war in fortdauernder, manchmal wellenförmiger Bewegung, und bei jedem Nachdruck, den ich gab, zuckte jeder Muskel und säuselte ein leises, abgekürztes Ach! –

Jetzt hatte ihr Gefühl den höchsten Grad erreicht; sie verdrehte die Augen, öffnete den Mund, schnappte nach Luft und machte allerhand konvulsivische Bewegungen.

Ich überließ mich nun meinem Gefühl und gab jeder Bewegung mehr Nachdruck.

Es schien in ihr zu kochen. Mit gewaltsamem Beben strömte ihre Quelle. In demselben Augenblick brach auch bei mir der Damm, und ein reißender Strom stürzte hervor. Die Gräfin schloß ihr Auge, der Atem blieb aus, und ihr Körper sank schlaff unter mir hin; mein Amor verließ die Grotte.

Es war eine wirkliche Ohnmacht, die sich ihrer bemächtigt hatte.

Ich lauschte, bemerkte keinen Atem, und mir ward bange.

Ich suchte im Zimmer frisches Wasser, fand jedoch nichts.

Kein Streicheln, Schütteln, Küssen half. Ich drückte

ihre Milchhügel, befühlte die nasse Wollustquelle und fand Hymen in zitternder Bewegung; er allein hatte sein Leben erhalten.

Meine Leser können versichert sein, daß meine Verlegenheit aufs höchste stieg.

Endlich schlug sie die Augen auf.

»Gott! Wo bin ich?«

»In den Armen des feurigsten Liebhabers, gnädigste Gräfin.«

»Ach ja, so feurig, daß es mir das Leben hätte kosten können.«

Sie nahm meinen Amor in ihre weiche Hand.

»Kann der kleine Bösewicht jedesmal mit solcher Kälte ein Feuer zu verzehrendster Glut anblasen?«

Ich küßte sie – und bestieg von neuem mein weiches Lager. »Wollen Sie die Probe sehen, meine Schöne?«

»Nur mit Feuer und Aktivität, Herr v. H., sonst halte ich es nicht aus.«

Sie faßte meine Hinterbacken, dirigierte die Bewegung und genoß mit mehr Besinnung als vorhin das entzückende Vergnügen.

Die Gräfin war die wollüstigste Frau, die ich bisher kennengelernt hatte; allein sie war auch die unersättlichste, sie dachte auf kein Aufsparen für die Zukunft, im Gegenteil ward ihr jede Zwischenerholung zu lang, und kaum war ihre Wollustschale zum Uberfließen angefüllt, so war sie auch schon wieder trocken, und sie suchte alles hervor, um meinen Reiz wieder zu beleben und sie aufs neue zu füllen.

Ich mußte eine harte Probe aushalten. Sechsmal war der Wollustbecher geleert, und sie reichte ihn zum siebenten Mal dar.

Schon die beiden letzten Male waren mir schmacklos gewesen, und jetzt –

Ich fand das weiche Fleisch, welches mir anfangs so sehr gefiel, jetzt wie mit Öl übergossen, schwammig und unangenehm, und ihre Ausdünstung war widerlich.

Indessen, was wollte ich tun?!

Wohl oder übel – ich nahm meine Kräfte zusammen, und durch ihr beständiges Reiben und Spielen am Köcher meines Amors richtete er sich endlich auf.

»Nun lassen Sie uns keine Zeit verlieren!«

Sie suchte alles Mögliche hervor, um mir ihr immer gleiches Feuer mitzuteilen, doch ohne den geringsten Erfolg.

»Ein so junger Ritter und schon ermüdet?!«

Und damit faßte sie mich fest an und fing mit solcher Hitze an unter mir zu arbeiten, daß sie laut keuchte. Sie drückte mich fest in sich hinein und überschwemmte meinen Amor fast ebensostark wie beim ersten Mal. Jetzt glaubte ich, meine Demission zu erhalten.

Sic hielt mich fest.

»Nein, mein Herr, Sie sind mir Rückgabe schuldig; ich habe jetzt allein verloren, dafür verlange ich Ersatz.«

Kaum hatte sie einige Minuten geruht, so hob sie sich wieder.

»Nun, lieber H., ich fühle, daß Sie aufleben, krönen Sie das Werk.«

Ich mußte mir alle Mühe geben, meinen Ekel zu überwinden, und aus halbem Verdruß fing ich mit solchem Ungestüm an zu stoßen, daß ich glaubte, der schwammige Venusberg würde unter mir zerfließen.

Ich fühlte in allen Nerven eine schmerzliche Erschütterung, sobald der Wollustbecher überfloß. Sie drückte mich fest an sich, um nichts zu verlieren, leerte ihre Wollustschale und linderte dadurch die brennende Empfindung meines Amors.

Ich fand keine Neigung mehr, die schöne fette Gräfin allein zu sprechen.

## Neuntes Kapitel
## Es schließt das zweite Buch

Meine Leser kennen nun schon einen ziemlichen Teil meiner Erfahrungen; und so wie sie diesen und jenen Vorfall gegeneinander vergleichen und Folgerungen daraus gezogen haben werden, ebenso können sie auch leicht glauben, daß ich es um so mehr getan habe.

Die unerklärliche Ekstase in den Armen, an der Brust eines schönen Frauenzimmers ist das höchste, einzige menschliche Vergnügen; allein vergebens suchst du es in den Armen einer Blondine bei Mutter Dore, weniger noch am Knochengerippe der Frau v. F. und unschmackhaft, ja ekelerregend und nervenzerrüttend wird es bei einer Unersättlichen wie der Gräfin.

Ich will meinen Lesern nicht vorgreifen in der Beschreibung eines Frauenzimmers, welches den Genuß versüßen, himmlisch machen kann. Der Begriff der Schönheit, der Wollust, sogar der Umarmung ist relativ; jeder bildet sich ihn nach seiner Erfahrung und nach seiner Vorstellung, und aus diesem Grund kommt niemand leicht zu kurz, es müßte ihm denn alle Gelegenheit abgeschnitten sein.

Ich führe meine Leser nun weiter. Sie wissen meinen Vorsatz, die Akademie zu besuchen. Ich hielt um Urlaub an, und da man ihn mir auf längere Zeit verweigerte, nahm ich meinen Abschied.

Meinem Gelehrten, Balthasar mit Namen, trug ich an, mich zu begleiten, oder vielmehr, wenn es ihm genehm sei, mich zeitlebens nicht zu verlassen. Er ging darauf ein. Wir besuchten nun zwei Jahre die akademischen Hörsäle und bereisten zwei Jahre Italien, Frankreich und England. Das Merkwürdigste sollen aber meine Leser im dritten Buch erst erfahren. Vielleicht gelingt es mir, die Phantasie meiner Leser ebenso zu beschäftigen, wie ich es bisher getan zu haben glaube. Sollte es jedoch nicht der Fall sein, so bitte ich im voraus um Verzeihung.

# Drittes Buch

## Erstes Kapitel

# Was man in diesem Buch erwarten kann

Meine Absicht ist es nicht, eine umständliche Erzählung von meinen akademischen Jahren und ebensowenig eine vollständige Beschreibung meiner Reisen zu liefern, sondern ich will bloß meinen Lesern Rechenschaft von meinem Temperament ablegen.

Ich habe meine Zeit nicht müßig hingebracht und kann behaupten, daß ich unter Führung meines Balthasars mehr Kenntnisse eingesammelt habe, als man gewöhnlich bei Leuten meines Standes vermutet.

Man hat genug Reisebeschreibungen von Italien, Frankreich und England, und ich werde also nichts davon sagen, ungeachtet ich Stoff genug hätte, da ich mich in den Hauptstädten ziemlich lange aufgehalten habe. Dafür will ich meine Leser mit kleinen Abenteuern unterhalten, und vielleicht sind sie mit mir zufrieden.

## Zweites Kapitel
## Ein Ungefähr

Schon über ein halbes Jahr war ich auf der Akademie, und noch war es mir nicht gelungen, eine Bekanntschaft anzuknüpfen. Einige Gelegenheiten, die ich hatte, gefielen mir nicht, und andere, die ich wohl wünschte, waren mit unübersteigbaren Schwierigkeiten verknüpft.

Es erwachte in mir eine gewisse Sehnsucht, ich fühlte Mangel an Appetit und ward unruhig und mißvergnügt. Kaum bemerkte es mein Balthasar, so fragte er in freundschaftlichem Ton:

»Lieber H., was fehlt Ihnen?«

»Viel, lieber Balthasar, und ich weiß doch nicht, was.«

»Nicht? Armer Mann! – Es überfällt Sie doch wohl bisweilen eine Unruhe, ein Blutwallen, ein Herzklopfen –«

»Ganz recht; als ob Sie es selbst fühlten!«

»Und wissen nicht, was Ihnen fehlt? Bei meiner Treu, ich sollte glauben, Sie hätten Ihr Herz noch gar nicht beobachtet! Finden Sie keine Erleichterung, wenn Ihnen ein niedliches, weibliches Gesichtchen aufstößt?«

»Wirklich, Freund, das fehlt mir. Es ist eine Leere in meinem Herzen, so ein Verlangen – fühlen Sie, wie mein Herz klopft!«

»Ich sehe Ihre Augen voll Feuer, sie sagen mir alles. Warum haben sie nicht Bekanntschaften gemacht? – Mich deucht – Sehen Sie, dort oben steht sie am Fenster; ich müßte mich sehr wenig auf das menschliche Auge verstehen, wenn Sie ihr gleichgültig wären.«

»Ich bin ihr nicht gleichgültig; nur zu deutlich hat sie mir's zu verstehen gegeben. Allein ich – bleibe kalt bei ihr – fühle keinen Reiz, nichts Anziehendes – kann ich es Ihnen so deutlich sagen, wie ich es fühle?«

»Freilich, ohne eine gewisse anziehende Kraft ist der Umgang mit einem Frauenzimmer ziemlich schal. Indes wundert es mich doch, ein Jüngling in Ihren Jahren lodert sonst gar zu leicht auf bei jeder erträglichen weiblichen Figur. Oder haben Sie sich etwa verwöhnt?«

»Weiß ich es, lieber Balthasar? Kommen Sie, wir wollen ausfahren!«

Ich wußte selbst nicht, wohin. Ich fühlte einen Schmerz in meinem ganzen Körper und war so verdrießlich, daß ich mit den Tapeten hätte zanken mögen.

»Wo du hin willst, nur etwas weit«, sagte ich zu dem Lohnkutscher, warf mich in den Wagen und beantwortete alle Fragen und Erzählungen meines Balthasars mit halben Worten. Wir kamen nach Schlickern. Ich traf hier einen bekannten Schauspieler und drei Schauspielerinnen.

»Brav, Junge, daß dich das Ungefähr herführt«, sagte mir mein Freund ins Ohr, »wir wollen uns vergnügen. Du siehst, die Damen sind nicht übel. Welche wählst du?«

»Zur Zeit keine«, war meine Antwort.

Wir ließen uns einige Flaschen Wein geben und luden die Schauspieler zu Gast, was sie auch nach sehr anständiger Weigerung annahmen.

Ich fühlte mich bald durch die Munterkeit einer kleinen niedlichen Frau etwas heiterer, und da sie sich mit mir am meisten abzugeben suchte, setzte ich mich endlich neben sie und bemerkte, daß es ihr ganz angenehm war.

Unser Händedrücken wurde lebhaft.

Sie stand auf und trat ans Fenster.

»Sie verlassen mich, schöne Frau?«

»Weil ich wünschte, mit Ihnen hier allein zu stehen.«

»Sehr schmeichelhaft für mich.«

Ich schlang meinen Arm um ihren Nacken und drückte einen feurigen Kuß auf ihre stark aufgeworfenen Lippen.

Sie sah mich an.

»Schöne Frau, wollen wir in den Garten gehen? Ich sehe, die Sonnenstrahlen machen eine schöne Wirkung durch die dichtbelaubten Bäume.«

Sie reichte mir ihren niedlichen kleinen Arm, und wir gingen. Ich fühlte ein gewisses Feuer in mir auflodern, welches meine Laune bedeutend erheiterte, ich ward munterer und freier. Am Ende des Gartens bemerkte ich eine dunkle Efeulaube und richtete meinen Weg dahin. Eine hölzerne Bank und ein steinerner Tisch bildeten das Meublement. Ich lehnte mich an den letzteren und nahm meine niedliche Eva vor mich hin, küßte ihre Stirn, drückte sie fest an meine Brust und bemerkte, daß ihr Busen mehr als schön war.

»Schöne Frau, wollen Sie mich beglücken und mit mir in meinem Wagen nach Hause fahren?«

»Wenn Sie es bei den übrigen Gesellschaften auf eine gute Art machen können, so werde ich mich glücklich schätzen; denn wir sind zu Fuß hier.«

Ich setzte mich auf die Bank, nahm sie auf meinen Schoß und begann das feurigste Zungenspiel, dem das niedliche Wei bchen mit ihren dicken Lippen ungemein viel Annehmlichkeiten zu geben wußte. Mir wurde entsetzlich warm, und meine Begierde regte sich.

»Wie rot Ihr Gesicht ist!«

»Schöne Frau!«

Ich glitschte mit meiner Hand unter ihren Rock.

Sie hielt sie, lächelte –

»Soll ich die Spröde machen?«

»Wäre es bei meinem Feuer angewandt?«

»Wären Sie nicht so liebenswürdig! – Und weiß ich selbst, was mich so fest an Sie zieht?«

Ich gelangte an den Rosenhain und glaubte in dem Augenblick, keinen niedlicheren befühlt zu haben. Die kleine Grotte war eng und fest, ein Beweis, daß das niedliche Weibchen sie sparsam besuchen ließ.

Ich verfiel in einen Taumel.

»Ich kann mich nicht fassen, schöne Frau!«

»Der Ort ist zu unbequem, können Sie sich nicht gedulden? Sie steigen doch bei mir ab? Aber jetzt, ich habe keine Lust!«

Ich sprang auf und empfand schmerzhaftes Pressen.

»Schöner Mann, ich bedauere Sie.«

Sie lehnte sich an den Tisch und blickte mich mit zärtlichen Augen an.

Ich vermochte mich nicht zu halten, setzte sie auf den Tisch, hob ihr den Rock auf, trat zwischen ihre Schenkel, und mein Amor, den ich frei machte, stand in vollem Feuer.

»Was mich so unwillkürlich Ihren Stürmen gefällig machen mag?«

Ich stellte ihre Füße an die Bank, rückte sie mir näher, und mein Amor stand an der Grotte. Er war aufgeschwollener, als ich es je bemerkt hatte. Und meine

Schöne verzog das Gesicht, als ich in ihre Grotte drang.

Nach einiger Bewegung aber bewies ihr wäßriges Auge, welchen angenehmen Gast sie aufgenommen hatte. Bald fingen ihre Lippen an zu beben und ihr Atem an zu zittern.

»Sie sind zu heftig! – Ich halt' es nicht mehr aus! Ha – halt!«

Sie ward schwächer und ich heftiger.

Auf einmal aber stemmte sie sich mit aller Gewalt entgegen, und fast im nämlichen Augenblick leerten wir mit unbeschreiblichem Vergnügen den Wollustbecher.

»Die Positur ist neu für mich, und fast schäm' ich mich, daß ich mich so schwach finden ließ. Wenn es meine Freundinnen wüßten, wie weit mich eine ungefähre Überraschung – oder wie soll ich es sonst nennen – bringen konnte, des Spottens würde kein Ende sein.«

»Des Spottens, schöne Frau?«

»Keine so zweideutige Miene, mein Herr, glauben Sie mir. Wenige können sich nach Bemühen und Bitten und Frieden der Gunst rühmen. Fühl' ich hier (indem sie die Hand aufs Herz legte) nichts, so bewegt mich nichts. Ich liebe mein Vergnügen mehr als – Merken Sie sich's, und glauben Sie ja nicht, daß Sie schon gewisse Rechte über mich erlangt hätten!«

Sie sagte das mit einer so trotzigen Miene, die sie ungemein gut kleidete und nichts weniger als Affektion verriet.

Balthasar kam uns entgegen. Er sah mich an, nahm Madame Zerha bei der Hand und sagte: »Ich dank'

Ihnen, schöne Frau, daß Sie die trüben Augen meines guten Freundes so schön aufgeheitert haben.«

Sehr spöttelnd sagte sie: »Wenn ich etwas zu der Heiterkeit Ihres Freundes hätte beitragen können, so wär' er mir Dank schuldig, nicht aber sein weiser Freund.«

Balthasar sah starr auf und wußte nicht, was er sagen sollte.

Wir gingen zur Gesellschaft, und Madame fuhr mit mir in meinem Wagen nach Hause.

## Drittes Kapitel
## Sonderbare Kaprice

Ich stieg bei Madame Zerha ab. Sie bereitete ein niedliches Abendmahl und unterhielt mich außerordentlich angenehm.

Ich bat um Erlaubnis, die Nacht bei ihr zubringen zu dürfen.

»Wenn ich es Ihnen zugestehe«, sagte sie mit losem Lächeln, »so werden Sie es bereuen. Mein Rat wäre, Sie begnügten sich an einigen Stunden und dann – «

»Bereuen?« rief ich, »beim Himmel, sonderbar!«

»Sonderbar, weil Sie mich nicht kennen. Gut! Ich gesteh' es Ihnen zu und versichere Sie im voraus, daß Sie von selbst gehen werden.«

Es war mir unbegreiflich.

Ich half ihr, sich auszukleiden. Ich staunte, bei einer Frau so feste und niedliche Milchhügel zu finden, die einem Mädchen von sechzehn Jahren zur schönsten Zierde gereicht hätten.

Ich hinderte sie, ihr Nachtkorsett anzulegen und löste ihr leichtes Unterröckchen, das die niedlichste Wade nur halb versteckte, und sie floh unter die Bettdecke.

Ich bat, und sie verhüllte sich.

»Ziehen Sie sich aus, und ich nehme Sie zu mir; was aber vielleicht Ihre neugierigen Augen fordern mögen, erlangen sie nicht!«

»Wollen Sie mir das unendliche Vergnügen versagen, Ihren schönen Körper zu bewundern?«

»Glauben Sie, Vergnügen in meiner Umarmung zu

finden, so wär' es Torheit, es Ihnen zu versagen, da ich mich Ihnen schon so weit gegeben habe; allein – kurz, es ist wider meinen Geschmack – tun Sie, was Sie wollen.«

Ich zog mich aus und legte mich zu ihr. Meine Hände hatten alle Freiheiten; allein kaum erhielt ich es, daß ich meine Augen an den überaus schönen glatten Milchhügeln weiden durfte.

Ich muß gestehen, ich war unzufrieden, daß ich meine Neugier nicht befriedigen konnte, die um so größer war, weil ich über dem Rosenhain bis an die Gegend des Nabels die feinste Wolle fühlte. Es war eine ganz neue Erscheinung für mich.

»Kommen Sie und lassen Sie Genuß an die Stelle der Neugier treten.«

Sie umschlang mich und zog mich über sich hin.

»Nur bitt' ich, lassen Sie Ihren kleinen unbändigen Knaben etwas behutsam eingehen, Sie verursachen mir sonst empfindliche Schmerzen.«

Ich folgte ihrer Vorschrift und zog ganz langsam ein.

»Halt, nicht so tief.«

Außerordentlich war mein Gefühl, und bald vergaß ich alle Mäßigung.

»Oh, oh! – Es schmerzt!«

Sie nahm ihre kleine Hand, umfaßte meinen Amor ganz oben und hinderte sein tiefes Eindringen.

»Besser – hoh!«

Ihr Atem zitterte.

Und je mehr ihre Empfindung stieg, je fester preßte sie meinen Amor und verursachte dadurch unstreitig die übermäßigste Ergießung, die ich jemals erlitten hatte.

Sie fühlte die ganze Wirkung und ließ jetzt ihre Hand fahren.

»Oh, es schnürt mir die Brust zu.« Jetzt verging ihr die Sprache, ich drang tiefer und tiefer, und wie sich ihre Wollustquelle öffnete, schloß sie mich fest an sich, wodurch ich ganz ins Innere gelangte.

Welche Wollust!

»Und nun, lieber Mann, ruhen wir, bis uns die freundliche Sonne die Augen öffnet.«

Ich wollte der Liebe ein zweites Opfer bringen, und sie schlug es ab. Ich bat, zeigte ihr mein ganzes Feuer. Umsonst!

»Wir werden Feinde, wenn Sie noch mehr in mich dringen«, sagte sie hastig und kehrte sich auf die andere Seite.

Ohne daß ich es meinen Lesern versichere, werden sie mir glauben, daß es unerträglich schwer fiel, bei einer so reizenden weiblichen Gestalt unempfindlich zu liegen. Ich erneuerte daher meine Versuche, ward feuriger und noch feuriger bei ihrem Widerstand und fing an, etwas gewaltsamer zu handeln.

Sie wurde heftig und stieß mich von sich.

Ich verlor alle Besinnung, preßte sie unter mich; sie drückte ihre Schenkel fest zusammen; ich wurde wütend, drängte mit meinem Amor zwischen ihre Schenkel, hielt sie fest, arbeitete mich ab, überströmte den zarten Rosenhain mit dem Balsam der Wollust und sank kraftlos hin.

Sie stieß mich von sich.

»Mein Herr, Sie sind unbändig. Sie sehen mich nicht wieder, und wenn Sie mir noch einen Gefallen erweisen wollen, so verlassen Sie mich sofort.«

Ich wäre ohnehin gegangen.

Es ist eine ganz komische Empfindung, wenn man von einem Frauenzimmer auf solche Weise behandelt wird. Ein Gemisch von Unwillen, Zorn, Besorgnis und Furcht und auch Hoffnung, die Hartnäckigkeit doch noch zu besiegen, Bitten, Vorwürfe, Drohungen, Spöttereien wechseln in einem Augenblick untereinander ab, bis endlich nach allen vergeblichen Versuchen stiller Jammer entsteht; man rafft sich auf und geht seine Straße.

Hätten meine Leser Madame Zerha, wie sie mich bei ihr im Garten sahen, für eine solche eigensinnige Kreatur gehalten?

## Viertes Kapitel

# Eine Dunkelgeschichte, die wieder vorkommt

Einmal abends, ich hatte eben die Nachricht erhalten, daß ich hunderttausend Gulden in der Haager Lotterie gewonnen, ging ich in ernsthaften Gedanken die besuchteste Straße auf und nieder und dachte so nach, wie das Glück so manchen Menschen ohne sein Sorgen, viel weniger sein Zutun in seine Arme nimmt und manchem, der sich noch so sehr bemüht und anstrengt, nicht einmal einen freundlichen Blick zuwirft.

Es war darüber bald elf Uhr geworden, und ich bog in ein Nebengäßchen, um nach Hause zu gehen. Da kam hinter mir her eine weibliche Gestalt.

»Sie entschuldigen?! Sind Sie nicht Herr v. H.?«

»Soviel ich weiß.«

»Meine Madame läßt Sie bitten, ob Sie wohl so gütig wären und nur auf ein paar Worte –«

»Wer ist Ihre Madame?«

»Ja, das soll ich nicht sagen; Sie werden's wohl von ihr selbst erfahren.«

»Das sieht ja einem Abenteuer so ähnlich als möglich! Nun, ich will so gütig sein.«

»Ja, aber Sie müssen mir im Dunkeln folgen und dann auch viel steigen und können die Madame nur im Finstern sprechen, denn wenn es der Herr – Gott sei mir gnädig!«

»Komm, liebes Mädchen, ich bin neugierig –«

Ich folgte ihr durch das Haus, durch einen langen Hofraum, eine, zwei schmale Treppen hinan.

»Halt, Mädchen, ich muß Atem schöpfen.«

Neugierde, Ungewißheit und auch Furcht engten meine Brusthöhle. Ich stand tiefer als meine Führerin, schlang einen Arm um ihre Hüften, glitschte mit der anderen Hand unter ihren Rock und küßte sie.

»Pfui doch, wissen Sie nicht, daß Sie zur Madame kommen sollen?«

»Aber sage mir, liebes Mädchen, was es für Bewandtnis hat?«

»Nur Geduld, Herr v. H. – I pfui doch! – Unser Herr ist ein alter Knasterbart. Kommen Sie, Madame möchte warten, und um zwölf Uhr wenigstens muß sie zum Herrn Gemahl ins Bett.«

Wir stiegen noch eine Treppe, schlichen über einen langen Gang und stiegen noch eine Treppe und traten nun in ein finsteres Vorzimmer.

»Hier«, sagte meine Führerin, mich in einen großen Armstuhl setzend, »warten Sie, und wenn Sie die Saaltür draußen schnellen hören, so treten Sie, ja gleich hier rechter Hand in den Schrank und ziehen die Tür an sich. Ich glaube zwar nicht, indessen weiß man doch nicht, was dem Herrn einfallen möchte.«

Sie ging in die Stube, welche sehr schwach erhellt war, und bald darauf kam eine schöngewachsene Figur zum Vorschein.

Ich stand auf.

»Bleiben Sie, bleiben Sie«, rief die Dame, die Tür zumachend.

»Aber, schöne Frau, soll ich nicht das Glück haben, Ihre schöne Person bei Licht zu bewundern?«

»Mein Mann würde das Licht hier sehen, und das Ungewöhnliche würde ihn gleich heraufbringen.«

»So ist ja hier ein Zimmer –«

»In Gegenwart meines Mädchens und noch mehr den gaffenden Dacheinwohnern des Nachbarhauses ausgesetzt! Beruhigen Sie sich, lieber v. H., über meine Anordnung und beantworten Sie mir eine Frage: Was denken Sie von dem Auftritt?«

»Ich denke, meine schöne Frau, Sie werden mir etwas Wichtiges zu sagen haben.«

Indem griff ich und empfing einen zarten Körper, nur sehr leicht bekleidet, und zog ihn auf meinen Schoß. Sie zitterte.

»Ich vertraue, hoffe ich, einem edeldenkenden Mann. Ich liebe Sie! Die Dunkelheit macht mir das freie Geständnis leichter. Ich habe gekämpft, und anstatt eine törichte Leidenschaft besiegen zu können, sehen Sie den Erfolg.«

Ich drückte sie fest an mich, küßte ihre Lippen, die so schön für mich gesprochen hatten; sie waren feurig, und ihr Atem hauchte Wollust.

Ich bat nochmals um Licht.

»Erlauben Sie mir meinen Willen, Herr v. H., wenigstens für heute; ich will alles daranwagen, um Ihrem Wunsch baldmöglichst nachzukommen.«

Ich fühlte einen Busen, so voll und frisch wie eine aufgebrochene Rose im Morgentau. Ihre Waden und Schenkel waren etwas sehr stark und fest, ihre Hüften rund, ihre Haut geglättet wie der feinste Marmor, und der Myrthenhain, der Eingang in die Liebesgrotte – meine Einbildungskraft war eine herrliche Bildnerin.

Ihre Küsse waren so feurig, ihr Händedrücken so sanft, schmachtende Seufzer drängten sich aus ihrem auf- und niedersteigenden Busen, immer fester und fester umklammerte sie mich.

»Weib, zur Liebe geschaffen, und der Ort so unbequem!«

»Bequemer, als Sie glauben.«

Und die Lehne des Armsessels flog zurück. Kaum gewahrte ich es, so stand ich auf und machte mich kampfbereit. Legte meine Schöne hin, sie glühte über und über, und nach dem Atem und den Bewegungen hätte man glauben sollen, sie wäre schon im Genuß begriffen. Und nicht anders war es; denn als ich mich über sie hinstreckte, an die Wollustquelle fühlte, fand ich, daß sie überfloß. Dies feuerte mich an. Ich führte meinen Amor ein. Und noch nie hatte er einen so wollüstigen Einzug gehalten.

Meine Schöne drückte mich fest an sich, sog an meinen Lippen und begleitete jeden Nachdruck mit einem seufzerähnlichen Atmen. Meine Einbildungskraft hatte sich zu wirksam bewiesen, als daß sich nicht bald meine Wollustnerven öffnen sollten.

»Oh, Sie schwellen, ach!«

»Drücken Sie mich fest an, Liebe!«

»Heben Sie sich – in Zwischenräumen!«

Bis an die Wurzel drang ich ein, und jetzt schoß mit Gewalt unter den wollüstigsten Empfindungen der Balsam des Lebens hervor.

»Oh, es brennt durch alle Adern! Welche Empfindungen im Innern!«

»Wie wird mir?«

Sie bewegte sich heftig. Ich merkte sofort im Innern einige Zuckungen, ihr Atem zitterte, und bebendes Girren säuselte aus ihrem Mund.

Nach einiger Erholung sagte sie:

»Das ist der Liebe Glück. Bedauern Sie mich, Herr v. H., schon drei Jahre legt sich bisweilen ein alter Mann an meine Seite, den ich selten durch alle Liebkosungen lau machen kann, und das Höchste ist, daß er mein Feuer etwas anfacht und mit seinem kalten Körper wieder auslöscht. Pst! Er kommt, Sie wissen Bescheid.« Die Gangtür schnellte, meine Schöne fuhr in die Stube und ich in den Schrank.

Er kam bald mit seiner Donna.

»Aber warum denn heute so früh, mein Kind?« hörte ich sie sagen.

»Ich bin schläfrig«, schnurrte der Alte und schlappte fort. –

Dortchen kam bald darauf mit dem Licht und öffnete den Schrank.

»Ei, wie schön Sie dastehen«, sagte sie lächelnd, »Sie müssen aber noch etwas bei mir verweilen, bis der Bediente schläft.«

»Glaubst du denn, mein liebes Mädchen, daß ich dich verlassen werde? Ich bleibe bei dir!«

»Und was würde Madame sagen?«

»Das wirst du hören, sobald du es ihr erzählst.«

»Nein, mein Herr, ich bin keine Freundin von dem, was andere übriggelassen haben.«

»Du gefällst mir, Mädchen, ich bleibe bei dir. Wo ist deine Schlafkammer?«

Ich öffnete eine Tür gegenüber, und sie war es. Ich nahm Dortchen am Arm, führte sie hinein und machte die Tür zu.

»Ich glaube, Sie wollen ernst machen.«

»Allerdings, liebes Mädchen.« Ich nahm ihr das Licht

aus der Hand, setzte es auf den Tisch und zog mein Mädel ans Bett.

»Pfui doch, lassen Sie mich!«

Unter leichten Weigerungen und wiederholtem ›Pfui doch!‹ war sie bis aufs Unterröckchen ausgekleidet.

»Siehst du, liebes Mädchen, ich mache ernst!«

Und in einem Nu stand ich ganz nackend vor ihr da. Sie verbarg ihre Augen in der hohlen Hand und vergaß immer mehr, sich zu weigern, bis ich ihr das Röckchen und Hemd auszog. Nun sank sie auf einmal an mich hin, als ob sie sich in mir verbergen wollte. Jeder Muskel verriet das wollüstige Mädchen. Rabenschwarz war die Vermoosung der Liebesmuschel und aufgeworfen die Lippen, wie ich sie noch nie gesehen. Ich gab ihr meinen Amor in die Hand, und sie seufzte laut.

»Soll ich nun gehen, liebes Dortchen?«

»Ihr Spott ist übel angebracht!«

»Du hast auch recht! Komm und sieh oder empfinde vielmehr, ob du bloßes Nachessen bekommen wirst!«

Dortchen wußte, was sie zu tun hatte. Kaum waren wir in Positur, so schlang sie ihr rechtes Bein über meine Hüften und wußte außerordentlich geschickt mir mit jedem Stoß zu begegnen.

»Verkürzen Sie das Vergnügen nicht! – Nicht so geschwind!«

Ich blieb ruhig und überließ ihr die Bewegung, bis ich merkte, daß der Reiz bei ihr aufs höchste gestiegen war, und begann dann mit allem Nachdruck.

Bald schloß sich ihr Auge, und sie girrte laut.

»Es ersti – ickt mich!«

Eins, zwei, drei, und der Wollustbecher schäumte über und über.

»Nun, Dortchen, ist's ein Nachessen?«

»I pfui doch!«

»Was wird Madame sagen?«

»I warum ließen Sie mich's hören, daß es ihr so wohl ging? Sonst hätten Sie mich wirklich nicht so bereit gefunden.«

»Im Ernst, Dortchen? – Nun, für deine Offenheit will ich sehen, ob ich dir noch einmal so wohltun kann.«

Dortchen beklagte sich nicht, und ich ging gegen drei Uhr nach Hause.

## Fünftes Kapitel

## Ich werde sterblich verliebt

Die Nacht bei meiner Schönen im Dunkel hatte meine ganze Heiterkeit wiederhergestellt, nur daß ich bisweilen unzufrieden war, daß ich gar nichts mehr von ihr hörte und alle Abende vergebens an dem Haus vorbeimarschierte. Ich erkundigte mich oft, wer da wohne, um wenigstens den Namen meiner Donna zu erfahren; allein ich ward nie um ein Haar klüger, denn es wohnten drei alte Männer in dem Haus, die alle junge Weiber habe sollten. So war es denn des Hauses Bestimmung, junge Weiber zu quälen.

Wahrlich, man beklagt die armen Nonnen, die sich in ihrem Feuer aufzehren müssen, allein junge Weiber an der Seite alter, ohnmächtiger Männer sind noch weit mehr zu beklagen.

Ich fuhr eines Tages auf ein benachbartes Dorf, das gewöhnlich sehr wenig besucht wurde, ganz allein. Ich traf eine Gesellschaft alter Matronen und Herren beim Kaffee an. Gute Gesellschaft, dacht' ich, um alle Munterkeit zu verlieren, setzte mich ganz verdrießlich an einen anderen Tisch und forderte Schokolade.

Indem trat ein Frauenzimmer zur Tür herein, in einem hellgrünen Amazonenhabit. Wie Feuer durchfuhr mich der Anblick. Sie gehörte zur Gesellschaft, ich hörte sie Frau Tochter nennen.

Ein Bild von ihr: Gewachsen wie eine Zeder, mehr groß als mittlerer Statur, eine hohe Brust, ein voller Busen, ein weißer, runder Hals, rundes Kinn mit einem

Grübchen, das Gesicht mehr rund als oval, frische Rosenwangen, leicht aufgeworfene Lippen, eine feine Nase, große dunkelblaue Augen, feine, schneeweiße Haut und schönes, starkes, aschblondes Haar, in einer für ihren schönen Wuchs sehr vorteilhaften Kleidung, ein runder, schwarzer Hut warf sanften Schatten auf das Engelsgesicht.

Ich ward zur Salzsäule.

Wie kann ich sie, wie soll ich sie sprechen? – Ich muß sie sprechen! So schön! – Nie sah ich etwas Schöneres! –

Tausenderlei Entwürfe durchkreuzten mein Gehirn. Ich durfte nicht nach ihr blicken, wenn mir nicht das Gesicht vergehen sollte.

Und wie introduziere ich mich der Gesellschaft?

Wem das Glück wohlwill, darf es nur mit Geduld abwarten. Alle meine Entwürfe hatte ich nicht nötig gehabt.

Einer von den Alten trat zu mir.

»Um Vergebung, mein Herr, man sagt mir, Ihr Name sei v. H.«

»Man hat Ihnen keine Unwahrheit gesagt.«

»Sie verzeihen meine Freiheit; also ein Sohn von dem alten ... v. H.«

»Ganz recht!«

»Nun, das vergeb' ich aber Ihrem Herrn Vater nicht; ich habe in meinem Leben so viel mit ihm zu tun gehabt, und er gibt mir keine Gelegenheit, seinen Herrn Sohn kennenzulernen. Sie sind jederzeit in meinem Haus willkommen, Herr v. H.«

Und damit nahm er mich bei der Hand, stellte mich der übrigen Gesellschaft vor, und der Engel war seine Tochter, und ein alter krummrückiger Kerl, dem ins

Ohr rufen mußte, war – ihr Mann. Ich hätte den Vater peitschen mögen, daß er sein Kind so verschleudert hatte.

Ich suchte immer Gelegenheit, mit ihr zu sprechen, und zu meinem Entzücken bemerkte ich, daß es ihr nicht unangenehm war.

Wir standen am Fenster, ich drückte ihre Hand, und sanft erwiderte sie es.

Ich war wie neugeboren und erzählte meinem Balthasar so viel, als ich nach Hause kam, daß er mich recht freundlich bat, aufzuhören, da am Ende nichts unerträglicher wäre, als das Gespräch eines so Verliebten, weil er sich beständig wiederhole.

## Sechstes Kapitel
# Ich werde erhört

Daß ich dem alten Brambur bald meine Aufwartung machte, werden sich meine Leser leicht vorstellen, weil ich hoffte, meine unvergleichliche Amazone zu sehen.

Der Alte war so gefällig und behielt mich zum Mittagessen, weil sein Herr Sohn und seine Tochter auch mit ihm vorliebnehmen würden. Der wackere Schwiegersohn kam mit der Göttin der Liebe. Nach einigen allgemeinen Fragen und Antworten entschuldigten sich beide Alten, daß sie noch einige Geschäfte abzutun hätten. Wie erwünscht! Möchten sie zehn Stunden bleiben! Auch die alte Mutter entschuldigte sich auf einige Augenblicke mit Hausgeschäften. Nur immerhin!

Hier war ich nun mit dem angebeteten Gegenstand meines Herzens allein.

Ich sah sie an. Sie schlug die Augen nieder und schwieg.

Hier war keine Zeit zu verlieren. Ich stand auf, ergriff ihre Hand, küßte sie und erforschte in ihren Augen, ob ich wohl sprechen dürfte.

»Madame, nur einen freundlichen Blick, der mir Mut macht, zu sprechen.«

»Was wollen Sie, Herr v. H.?«

»Sagt Ihnen mein Auge nicht alles? – Ich liebe (indem ich mich neigte und ihren schönen Mund küßte)! Ja, Engel, ich liebe!«

»Herr v. H., Sie sehen mich jetzt zum zweiten Mal.«

»Und schon das erste Mal hatte ich für nichts Sinn und Liebe. Nur ein Strahl von Hoffnung, schöne Frau!«

Sie drückte mir sanft die Hand.

»Darf ich hoffen?«

»Ich glaube, ich habe mich nur zu sehr schon verraten.«

»Könnt' ich den Augenblick unseres Alleinseins in eine Ewigkeit verwandeln! Wann, wie und wo kann ich Sie sprechen?«

»Nirgends als hier in meines Vaters Haus, und das nur sehr behutsam, weil mein Gemahl alles leicht durchs Vergrößerungsglas ansieht.«

»Sie vernichten alle meine Hoffnungen auf einmal.«

»Wenn Sie mich wirklich lieben, so werden Sie nicht wollen, daß meine ohnehin langweiligen Tage verbittert werden. Aus meiner Offenheit können Sie nur zu leicht entnehmen, wie wenig gleichgültig Sie mir sind.«

Ich drückte den Engel an meine Brust und sog Seligkeit von ihren himmlischen Lippen.

Sie führte mich darauf ins Nebenzimmer, wo ein artiges Klavier stand. Sie setzte sich, spielte und sang von Liebe. Den Nachmittag erzählte ich meinem Balthasar wieder so viel von der schönen Flamman, daß er etwas verdrießlich zu mir sagte: »Freund, ich hätte Sie stärker geglaubt, als daß Sie sich verlieben würden – das taugt nicht.«

Ich hatte keinen anderen Gedanken als meine schöne Flamman.

## Siebentes Kapitel

## Eine Dunkelgeschichte klärt sich auf, und ich wage viel

Einige Tage darauf fiel es mir erst ein, daß ich mich nicht einmal nach ihrer Wohnung erkundigt hatte, so sehr war ich im Taumel. Ich war schon wieder bei dem alten Brambur gewesen, allein vor lauter Geschäftserzählungen, die er von meinem Vater zu erörtern hatte, konnte ich nichts von seiner Tochter erfahren. Unmutig schlich ich am Abend über die Straße und war verdrießlich, daß ich mit meiner Geliebten nicht näher Abrede getroffen. War verdrießlich auf sie und schalt sie kalt und kokett.

Es zupfte mich. Dortchen war es, sie steckte mir ein Billett in die Hand und entfernte sich. Ich trat unter eine Laterne und las:

»Wenn Sie glauben, daß Sie sich bei einer Dame rechtfertigen können, die Ihnen freilich nur in der Dunkelheit ihre Liebe bekannte und bewies, so werden Sie um neun Uhr Ihre Führerin finden. Wenn aber Ihr Herz von Madame Flamman ebenso voll ist als das ihrige von Ihnen, so bleiben Sie, ich verachte geteilte Liebe.«

Wetter, was machte das für einen Eindruck auf mich! Ich lief nach Hause, sah, ob ich recht gelesen hatte und schwankte in meinem Entschluß.

›Wie, Teufel, hat Sie's erfahre n?‹

Es war gleich neun Uhr; ich wollte hin, zog einen leichten Überrock an und ging fort. ›Aber du liebst die Flamman! – Hättest sie vielleicht nicht geliebt, wenn du deine Schöne im Dunkeln gesehen hättest!‹ Unter allerlei Selbstgesprächen war ich vor die Tür gekommen, und nun folgte ich Dortchen ohne fernere Untersuchung. Ich kam in eben das dunkle Vorzimmer wie das vorige Mal, und bald erschien meine Donna.

»Und Sie wagten es, zu kommen? Glauben Sie mich zu überzeugen, daß Madame Flamman keinen Anteil an Ihrem Herzen hat?«

»Verzeihen Sie mir, beste Frau, wenn ich Ihnen gestehe, daß Madame Flamman den stärksten Eindruck auf mich gemacht hat; daß ihr Bild beständig vor meiner Seele steht – «

»Halten Sie ein! – Schonen Sie mich wenigstens.«

»Ich habe in Übereilung gesprochen. Richten Sie billig, Madame, ich war nicht so glücklich, Ihre schöne Person zu sehen. Wenn sich nun meine Einbildungskraft ein Bild entwarf? Und ich nun zu gleicher Zeit die Flamman traf?«

»Ich höre, mein Herr, daß Sie nicht herkamen, worum ich Sie bat. Sie werden also so gut sein und mich verlassen.«

»Vernichten Sie der Flamman Bild in meiner Seele, und ich will Sie unendlich lieben – «

»Nichts mehr, mein Herr, es war indiskret, daß Sie herkamen, und jetzt entfernen Sie sich auf immer! – Dortchen wird Sie sicher hinunterbegleiten.«

Dortchen trat mit einem Licht ins Zimmer. Ich sank, wie ohnmächtig, in den bekannten Armstuhl. Meine Donna winkte, und Dortchen entfernte sich wieder.

Sollte ich meinen Augen trauen? War es Spiel oder Einbildung?

»Du führst den Herrn hinunter«, sagte die schöne Frau, und Dortchen kam ohne Licht wieder.

Ich sprang auf, rannte in die Stube, holte das Licht und stand – immer noch zweifelhaft, ob es Blendwerk sei, stumm und staunend.

Es war eine Gruppe zum Malen.

Ich warf das Licht hin und fiel meiner schönen Flamman um den Hals. Sie war es selbst!

»Sie konnten mich in so quälender Ungewißheit lassen?«

»Wofür Sie doch wohl schadlos gehalten werden?«

»Engel!«

»Ohne Verstellung! Urteilen Sie über die Stärke meiner Liebe aus dem, was ich wage. Sie sollen bei mir bleiben. Ich habe alle Vorkehrungen getroffen. Folgen Sie Dortchen und erwarten Sie mich bald.«

Ich war nicht mehr bei mir selbst. Dortchen zog mich ihr nach. Im Dunkeln schlichen wir über den Gang eine Treppe hinunter, in ein Zimmer, vor ein Bett. – »Sie ziehen sich aus und legen sich«, sagte Dortchen.

»Wo bin ich, liebes Mädchen?«

»In Madames Schlafkammer. Nun geschwind, hier oben legen Sie Ihre Kleider und im Notfall – doch Madame wird Sie schon unterrichten. – Doch glauben Sie, daß es besser sei, so legen Sie sich gleich an die Wand neben dem Bett, Sie werden eng und tief, aber nicht hart liegen.«

Dortchen ging.

Ich fand alles vorbereitet, legte mich und dachte der Himmel weiß was.

Dortchen kam bald darauf wieder.

»Sie liegen doch gut? Der Herr bringt Madame zu Bett, ja ruhig sein!«

Und nun ging sie, um Licht zu holen und kam wieder.

Oh, wahrlich, es wäre Unwahrheit, wenn ich sagen wollte, ich wäre ganz ruhig gewesen.

Herr und Madame traten ein.

»Das tut mir leid, Schatz!«

»Es wird nichts zu bedeuten haben, mein Kind.«

»Das wäre mir auch nicht lieb, denn – wenn ich nur nicht zu tun hätte.«

»Sei ohne Sorgen; ich versichere dich, morgen ist es schon besser. Es ist nur eine kleine Anwandlung.«

»So laß das Mädchen hier bleiben.«

»Nicht doch, Kind, wie kannst du denn gleich so ängstlich sein!« Der alte Graubart konnte kein Ende finden. Endlich ging er doch mit dem Versprechen, ehe er zu Bett ginge, noch einmal zu sehen, was sie mache.

Sie lauschte an der Tür, bis sie seine Stubentür gehen hörte, und schloß ab.

»Nun, lieber H., wie ist Ihnen?«

Ich kroch aus meinem Lager hervor.

»Wie soll ich Ihnen danken, himmlisches Weib?«

»Durch volle herzliche Liebe!«

Ich half meiner Donna, sich zu entkleiden. Alle Worte, alle Ausdrücke sind zu schwach, um nur einen leichten Begriff von der Schönheit ihres Körpers zu geben. Es war belebter Marmor. Kein Knochen, kein Knorpel war gespitzt oder hervorstehend. Der feinste Ästhetiker hätte bekennen müssen, daß sein tadelsüchtiges Auge nichts finde. Ihre Brust war hochgewölbt, und sanft erhoben sich die schönsten Milchhügel, die Phidias' Meißel nicht entzückender hätte bilden können.

Leichtgewölbt war ihr Leib, der kleine Hügel über

der Grotte halb glatt und halb bemoost. Die Öffnung war etwas hoch und die Spaltung so niedlich gebildet, als ob sie ein sanftes Lächeln belebte.

Unersättlich waren meine Blicke; mit stummem Entzücken verschlang ich jeden Reiz.

Und wie sie sich an mich schmiegte, wie meinen Lippen ihr voller Busen entgegenwallte, wie mehr und mehr leichtes Rosenrot die blendende Weiße erhöhte, wie die niedliche Muschel sich brüstete und errötete!

Lieber Leser, mit aller deiner lebhaften Einbildungskraft vermagst du nicht, diese Schönheit im vollen Glanz dir vorzustellen!

Ich saß auf dem Sofa, und sie stand neben mir.

»Wollen wir ins Bett?«

»Dort verhüll'n mir Vorhang und Decke die bezaubernde Schönheit.«

Ich legte sie aufs Sofa.

Oh, wie ihre Augen, wie ihre Lippen glänzten!

Sie schlürfte. Wie drückte sie Busen an Busen, als ich mich über sie legte! Ich war kein Mensch, ich war ein Gott, als ich mich mit dem Weib vereinigte. Wir waren selig im Genuß der Liebe, und mit vollen Zügen leerten wir den Nektar der höchsten Glückseligkeit des menschlichen Lebens. Ein Hauch, ein Leben, eine Seele. Verzeih, lieber Leser, wenn ich dir zu übertreiben scheine; allein ich versichere dich, daß ich in so hohem, in so unbeschreiblichem Grad bis dahin die Liebe nie empfunden hatte.

»Glauben Sie mir, lieber H., daß ich jetzt erst empfinde, was Genuß der Liebe ist? Früher hat in mir nur unbefriedigte Wollust gewütet und bangendes Drängen meine Brust beunruhigt; aber das wohltätige Erschlaffen in männlicher Umarmung, die beseligende Vereinigung – es war mir unbekannt.«

Feurige Küsse begleiteten ihre Rede, und ununterbrochen drückte sie mich an ihr klopfendes Herz. Die Glocke schlug elf, sie zündete eine Nachtlampe an, und wir legten uns ins Bett.

Sie ließ mich keinen Augenblick los, drückte sich, wo und wie sie nur konnte, an meinen Körper.

»Jedes Berühren ist mir wohltätig. Schade, daß ich, weil uns mein Gemahl überraschen könnte, das Hemd habe anlegen müssen.«

Mit der feurigsten Umarmung und den zärtlichsten Küssen empfing sie mich, als ich mich wieder über sie legte. Sie war ganz Gefühl. Ich sondierte ihre liebliche Muschel, sie war trocken, die Drüsen stark aufgelaufen und brennend, und der kleine Hymen stand wie ein Ast. Ich war sehr feurig, ließ meine Schöne ihre Beine über meine Schenkel kreuzen, brachte meine Hände unter ihre Hinterbacken und spielte mit meinen Fingern an der Spalte.

Nach einigen leichten Bewegungen vorn in der Liebesgrotte drang ich mit einem starken Stoß ganz hinein, und meine Schöne stieß einen wollüstigen Schrei aus.

Über alles vergnügend war der Anblick, wie sie mich so ganz fühlte, ganz im Vergnügen zu zerfließen schien. Angenehmer Duft umgab uns, und Tauperlchen traten aus ihrem ganzen Körper hervor. Ihre Wangen beschämten das schönste Morgenrot, und jeder Blick, jede Miene waren beseligende Zufriedenheit.

»Es brennt, Lieber! Zehrt im – Eingeweide – Oh!«

Er war nah, der Entscheidungspunkt, ich drückte sie fest an mich, verdoppelte meine Bewegung –

»Jetzt! –«

Das Wort erstarb ihr auf der Zunge, sie fiel in eine wollüstige Ohnmacht; sanft quoll die Wollustquelle, ich fühlte Entzücken und jetzt – empfing sie mit wollüstigem Girren der Liebe reichliches Opfer.

Wir hatten uns noch nicht völlig erholt, als wir den Alten kommen hörten. Ich mußte also in meine Retirade.

Er schlief nebenan. Ich hörte, daß er sich auszog und ein Abendlied brummte. Endlich kam er herein, trat an das Bett und sah seine liebe Frau schlafen.

Es schien, als wollt' er wieder fort und blieb doch. Was glauben meine Leser, wie mir zumute ward, als ich hörte, daß er den Schlafrock auszog und sich zu seiner Donna legte!

»Schläfst du, Schatz?«

»Ja, ich schlief.«

»Wie schön du schwitzest! Ist dir besser?«

»Etwas. Und du störst mich.«

»Ich wollte nicht, aber du bist gar zu schön!«

»Oh, lassen Sie mich heute!«

»O nu! – I, da ist es ja ganz naß!«

»Ich habe stark geschwitzt.«

»Ja, ja, ich fühl's! Ich werde ganz munter bei dir. Komm her, mein Schatz, mir ist ganz warm!«

»Ich bitte, schonen Sie mich heut'.«

»Ich will's nicht arg machen.«

»Ich bitte!«

»Nu, ich bitte auch, es ist doch gar zu hübsch hier, so warm, so gut! Nu, komm her! Uh! Wie du so hübsch warm bist! Ist mir doch noch nie so kurios gewesen, wenn ich zu dir gekommen bin.«

»Sie machen mich mißvergnügt.«

»Närrchen, nein, vergnügen will ich dich! Da, fühl' nur einmal – Geschwind, komm! –Nu, so hilf mir doch ein bißchen zurecht!«

Nun fing der Alte an zu keuchen und zu schnarchen und konnte nach langer Müh doch nicht zustandekommen.

»Hab ich es doch gesagt, mein Kind, du ermüdest dich und mich – nun ja – da ist's.«

»I, daß dich! Und ich war doch noch so warm! – Ich denke, es geht doch noch; wart', nur noch einmal!«

»Oh, so plage mich doch nicht.«

»Ich will dich ja nicht plagen. Sieh 's ist doch ganz naß! Ich glaube gar, 's ist doch gegangen.«

Ich hätte bersten mögen, teils vor Lachen, teils auch aus Unmut, daß ein so herrlicher Altar der Liebe entheiligt wurde.

»Nun, mein Kind, so laß mich doch ruhen!«

» Oh, ich möchte gern schlafen!«

»Gern, wenn mir nur wohl wäre, aber –«

»Nun ja, so muß ich wohl gehen.«

Das wäre eine herrliche Freude gewesen, wenn der Alte auf seinem Vorsatz bestanden hätte!

Er schlappte fort, und ich kam wieder in meiner Donna Arme.

»Ich schäme mich, Herr v. H., Sie waren Zuhörer.«

»Ich vergesse alles, wenn ich Sie in meine Arme schließe.«

Sie schien wirklich ihr voriges Feuer ganz verloren zu haben. Ich bot alles auf, küßte, spielte und rieb und tändelte, was mir meine Einbildungskraft eingab.

Ich schlug vor, aufzustehen. Sie war es zufrieden und

schob etwas den Nachtriegel vor, daß die Tür ohne Anstrengung nicht aufgehen konnte.

Hier saß ich nun und hatte meine Venus im Arm und weidete mich an ihrem vortrefflichen Gliederbau.

Ich wurde ein Tuch gewahr, holte es und fing an, ihre gerundeten Hinterbacken zu reiben.

Bald aber spürte sie die Wirkung. Sie drückte sich an mich, und ihr Atem ging geschwinder. Ich fuhr solange fort, bis ich sah, daß sie zuckende Bewegungen bekam und ihre Muschel recht aufgelaufen war.

Ich führte sie ins Bett, ihre Knie schlotterten.

»Nun, meine Liebe, ziehen Sie die Beine an, stemmen Sie sich, heben Sie sich –«

Ich hatte diese Vorschrift nicht so nötig, sie hob sich so, daß ich genau achtgeben mußte, um das Gleichgewicht zu behalten. Sie ließ etwas nach.

»Oh, ich – kann nicht mehr.«

»Oh!«

»Plage ich Sie auch, meine Schöne?«

»Spöt – ter!«

»Oh – o – o – o – oh!«

Sie war ganz Feuer.

»Ich halte es –«

Langsam und stark holte sie Atem, es schien, als ob sie in den letzten Zügen läge.

»O – o – o – o – nun!«

Es wollte nicht brechen.

Ich verdoppelte meine Bewegungen, und bald ergoß sich meine Wollustquelle. Sie zitterte unter mir, schloß die Augen und schlürfte mit den Lippen – und nun floß auch ihr Brünnlein über, und so lagen wir in entzükkender Ohnmacht Busen an Busen.

Noch schwebte sanftes Wollustgefühl auf ihrem Gesicht, als ich die Decke aufhob und der Liebe Myrthenhain betrachtete. Ein feines Schäumchen war am Eingang der Quelle, durch welches das Rot der Lippen schimmerte.

Sie zog mich über sich und überströmte mich mit den feurigsten Küssen. Arm in Arm entschlummerten wir.

Ich erschrak, als ich die Augen aufschlug und den anbrechenden Tag bemerkte; ich weckte meine Donna, und sie erschrak noch mehr.

»Mein Gott, wie werden Sie unbemerkt fortkommen?«

»Noch ist es früh; doch ohne weiteres Überlegen lassen Sie uns, Liebe, der Wollust ein Morgenopfer bringen, noch so herzlich und zärtlich, als wir es vermögen.«

Und damit begannen wir mit vereinten Kräften und leerten den Wollustbecher mit großem Vergnügen.

Meine Schöne half mir, mich anzukleiden. Wir konnten uns nicht trennen, immer nur noch ein Kuß und eine Umarmung.

Dortchen schlief fest. Wir weckten sie, und sie ließ mich zur Tür hinaus.

Lachend fragte sie, ob heute alles und auch das Nachessen aufgezehrt wäre.

## Achtes Kapitel
# Es wird viel Blut vergossen

Wenigstens zweimal wöchentlich besuchte ich meine Flamman, bis sie mir verkündigte, sie sei schwanger und entsage daher bis auf weiteres allem ferneren Genuß.

Der alte Brambur gab deshalb der ganzen Familie und einigen guten Bekannten, als es lautbar wurde, ein großes Gastmahl und lud mich auch dazu ein.

Unter den Bekannten war eine niedliche, junge, feurige Brünette, die mich an sich zog. Ich hatte wenigstens schon einen ganzen Monat fasten müssen und sehnte mich sehr nach Sättigung.

Mademoiselle Raschmann gefiel mir, und sie nahm meine Höflichkeiten sehr wohl auf.

Die Gasterei war vor dem Tor in Bramburs Garten. Die Gesellschaft war zahlreich, mehrere verloren sich, Paar und Paar, und ich schlug also der kleinen Raschmann auch einen Spaziergang vor, was sie annahm.

Es war in der Abenddämmerung, die der Liebe so hold ist.

Meine Sache war es nicht, viel Umschweife zu machen; ich führte also meine Begleiterin bald in eine Laube, setzte mich und zog sie auf meinen Schoß.

»Ei, Herr v. H.!«

Ich küßte sie.

»Lieben Sie mich, schönes Mädchen?«

»Sehr kurz und bündig!«

»Wozu viele Umschweife? Ich liebe Sie, liebe Kleine, und falls Sie ebenfalls so fühlen – Sie lachen?«

»Nun ja, bei meiner Treu, sonach wäre Ihrer Meinung nach der Handel gleich abgeschlossen, nicht wahr?«

»Allerdings! Ich bin sogar, so unbequem der Ort auch ist, augenblicklich bereit, Ihnen den tatsächlichsten Beweis meiner innigen Liebe zu geben.« Und bei den letzten Worten rollte mein Blut feurig durch die Adern, ich sah sie schmachtend an.

»Und der wäre?« –

Ich drückte meinen Mund fest auf den ihrigen, schnellte meine Zunge zwischen ihre Lippen, drückte sie mit meiner linken Hand fest an mich und war im Nu mit der rechten am Wollustgestade.

Das arme Mädchen sträubte sich, war aber viel zu schwach, um sich meinen Armen zu entwinden.

»Nun, liebes Mädchen?«

»Lassen Sie mich, ich bitte!«

»Einen Kuß, liebes Mädel, und noch einen und wieder einen. Wenn Sie mich lieben, so erwidern Sie ihn. Nun, Sie zögern?«

»Lassen Sie mich los!«

Sie war sehr ängstlich und zitterte. Unentschlossenheit las ich in ihren Zügen. Meine Hand spielte an der niedlichsten Muschel, welche erst mit zarten Sprößlingen umgeben war. Der Eingang war sehr eng, daß mein Mittelfinger sich durchdrängen mußte. Sie sträubte sich, ich ließ mich jedoch nicht stören, sondern küßte sie immerfort und untersuchte dabei die niedliche Liebesgrotte gründlich. Die Berührung des Innern der Muschel machte sie matt, erschöpft sank sie mit ihrem Gesicht auf meine Schulter und vergaß ganz den Widerstand.

»Nun, liebes Kind, lieben Sie mich?«

Ich ließ sie los, sie schlug die Augen verschämt nieder. Ich küßte sie feurig.

»Wollen Sie meinen Kuß nicht erwidern? Schämen Sie sich, die schönste Neigung des Herzens zu gestehen?«

Sie sah mich an. Ich küßte und drückte sie heftig an meine Brust.

»Was für eine Antwort nehme ich mit zur Gesellschaft?«

Sie reichte mir die Hand und küßte mich.

Wir gingen zur Gesellschaft zurück, meine Raschmann war tiefsinnig geworden, und ich nahm sie beiseite.

»Hübsch munter, wie gewöhnlich, liebes Mädchen«, sagte ich, »sonst verraten Sie sich.«

»Warum haben Sie mich so unruhig gemacht?« antwortete sie mir und hüpfte fort.

Mich gelüstete gewaltig, dieses Mädchens Knöspchen zu brechen, und als der Wein die Geister munter gemacht hatte, drang ich in sie, mir ihre Wohnung zu sagen; ob es nicht möglich sei, einige Stunden dieser Nacht bei ihr zu verbringen. Anfangs wollte sie nicht recht darauf eingehen, aber nach längerem Hin- und Herreden erzählte sie mir alles.

Ihre Eltern hatten dicht neben diesem Garten ein hübsches Gartenhaus, welches sie im Sommer bewohnten. Die Fenster der Schlafkammer meines braunen Mädchens, welche sich im zweiten Stock befand, waren diesem Garten zugekehrt. Ich bat daher um die Erlaubnis, wenn alles zur Ruhe sein würde, ihr einen Besuch machen zu dürfen. Dieses wurde mir auch gewährt. Sobald ich es möglich machen konnte, lief ich nun hin und untersuchte, ob und wie das Fenster zu erreichen wäre. Hinaufklettern war unmöglich. Ich suchte deshalb eine Leiter und legte sie an; es ging vortrefflich.

Nun wartete ich mit Ungeduld auf die Auflösung der Gesellschaft. Zu meiner größten Freude ging dieselbe gleich nach zehn Uhr auseinander.

Gegen elf Uhr setzte ich über die Mauer in den Garten hinein und erblickte das kleine niedliche Mädchen an ihrem Fenster. Im Nu erstieg ich die Leiter und stand vor dem erstaunten Kind. Sie wollte bitten, daß ich nicht hereinkommen möchte, allein ich war bereits bei ihr. –

Sie zitterte am ganzen Körper und holte so schwer Atem, als ob sie sich in der größten Gefahr befände.

»Es ist doch alles zur Ruhe, liebes Mädel?«

»Ach Gott, ja! Aber –«

»Nun, so überlaß dich der Liebe und sei unbesorgt. Es kommt doch auch gewöhnlich so spät niemand in den Garten?«

»Ach nein! Aber – mir ist so bang! Wenn Sie mich lieber wieder verlassen wollten!«

»Liebst du mich nicht, liebes Kind – so bin ich sogleich bereit; sprich, liebst du mich nicht?«

»Ach ja, aber –«

»Nun, so sei ruhig und überlaß dich deinen Empfindungen.«

Ich schloß sie an meine Brust und bedeckte sie mit Küssen.

»Komm, meine Liebe, zieh dich aus und leg dich!«

»Das tu ich nicht!«

»Sonderbares Mädchen! Wozu die Umstände? Hier werden wir doch nicht sitzen bleiben wollen?«

Ich legte Hand an, und bald hatte ich meine niedliche Kleine entkleidet. Bald war auch ich fertig und bei ihr im Bett.

Ängstlich klopfte ihr Herz, schwer ging ihr Atem, und Seufzer verdrängten Seufzer.

Ihre kleinen runden Milchhügel, die eine hohle Hand ausfüllten, waren derb, und ihr ganzer Körper glich einer aufgehenden Knospe. So wie mein Finger der Liebe Heiligtum berührte, fand er Morgentau, und den Eingang umgab schlüpfrige Feuchtigkeit.

Ich streckte mich über sie hin, gab ihr meinen Amor in die Hand, und geschwind und schwer atmete sie.

»Nun, liebes Mädchen, mach dich gefaßt zu der Liebe höchstem Gefühl. Vielleicht wird dir der Anfang schwer werden, allein nur getrost, auf kleine Schmerzen folgt das größte Vergnügen.«

Ich stellte meinen Amor an die Öffnung, fuhr mit meinen Händen unter ihren Hintern und drückte sanft und sanft, um festen Fuß zu fassen. Mein braunes Mädchen zitterte.

»Lassen Sie, es geht nicht!«

»Geduld, meine Liebe!«

Ich gab einen starken Nachdruck, und sie rief laut: »Nein, das halte ich nicht aus! Entsetzlich!«

Sie schüttelte sich gewaltig, fing an zu beben, und ich fühlte, daß ihr kleiner Wollustbecher überfloß. Kaum war ich einen Fingerbreit eingedrungen, so verfiel sie in einen Wollusttaumel, und nun wagte ich unvermutet einen herzhaften Stoß.

Sie schrie laut, und ich empfand ebenfalls einen brennenden Schmerz, obwohl mein Amor nur erst mit dem Kopf darin war.

»Lassen Sie mich, um Gotteswillen, lassen Sie mich! Ich vergehe!«

Sie zuckte unaufhörlich und wimmerte laut. Ich hatte Mitleid mit dem guten Kind, konnte mich jedoch nicht entschließen, auf dem halben Weg umzukehren.

»Ich bitte Sie, lieber H. lassen Sie mich! Es sind unbeschreibliche Schmerzen, es brennt –«

»Liebes Kind, ich beklage dich. Sollen wir aber das höchste Vergnügen ungenossen lassen?«

»Es ist Pein, schreckliche Pein – (ernstkaft:) Lassen Sie mich los! Ich weiß auch nicht, warum ich so schrecklicher Qual unterliege.«

»Geduld, nur noch ein Übergang, und alle Schmerzen sind für immer behoben.«

»Nein, nicht mehr! – Lassen Sie mich!«

Sie wurde ungeduldig, und ich fühlte, daß mein Amor zu schwellen anfing; wollte ich also die Festung erobern, so mußte es gleich geschehen. Ich setzte mich also in Positur, um aus allen Kräften den Sturm zu beginnen und einen Augenblick alles Mitleid zu vergessen – hartherzig zu sein. Zwei harte Angriffe wurden gewagt, mein braunes Mädchen weinte, und mir war der Schmerz fast unerträglich. Allein das Wollustgefühl betäubte mich, ich beachtete nicht die Schmerzen und auch nicht das Schluchzen des Mädchens; aus Leibeskräften stieß ich, eins, zwei, drei –

(Mit hellem Schrei:) »Herr, Sie zersprengen mich!«

Und glücklich war ich eingedrungen und kühlte ihre Schmerzen mit dem Balsam der Wollust.

Sie zitterte, als ob sie das kalte Fieber hätte, ihre Lippen bebten, und Ihre Zähne klapperten. Ich bemerkte aber, daß sie Linderung hatte; denn ihr Wimmern verminderte sich bedeutend.

»Nun, liebe Raschmann, haben sich die Schmerzen gelegt?«

Sie atmete schwer, ohne mir zu antworten.

»Wenn Sie mich lieben, wenn Sie sich besser befinden, wenn Sie einige Schadloshaltung für Ihre Schmerzen haben, so küssen Sie mich, umarmen Sie mich.«

Sie drückte mich fest an ihren Busen und hing an meinen Lippen.

Mein Amor war noch in der Grotte und hatte neue Kräfte gesammelt. Ich fing also an, mich leicht zu bewegen.

»Sag mir, sind die Schmerzen noch so heftig, liebes Mädel?«

»Ach nein! Aber ein Brennen –«

»Vielleicht lindert sich auch das. Zieh nun die Beine scharf an, stemme dich und halte deinen Hintern etwas frei. So! Kannst du die Schenkel nicht etwas mehr auseinanderspreizen? Schön! Nun schlage deine niedlichen Arme um mich, und wenn dich der Liebe wohltätigste Empfindung wandelt, so küsse mich.«

Ich erhielt manchen Kuß, und bald blieb sie an meinem Mund hängen, hob und drängte ihren Schoß an mich und badete meinen Amor mit ihrem Wollustsaft.

»Liebes Mädchen, bist du feurig!«

Leises Seufzen war ihre Antwort.

Mein Vergnügen war groß; denn der enge Eingang, der meinen Amor fast ganz umschloß und ihn sanft preßte, erregte die angenehmsten Erschütterungen in meinen Nerven.

Der Entscheidungspunkt nahte sich, ich faßte ihre beiden Hinterbacken und bewegte mich etwas geschwinder und heftiger.

»Nun, liebe Raschmann, stemmen Sie sich fest und empfangen Sie das Opfer der Wollust.«

»Ah! – ah! – ah!«

»Küssen – Sie mich!«

»Oje!«

»Ist dir wohl – Liebe?«

Jetzt öffneten sich die Wollustnerven, und kaum berührte der Nektar ihren Altar, als volle Ströme hervorsprudelten und mein liebes Mädchen in meinen Armen in wollüstige Ohnmacht verfiel. Ihr feuriger Atem, ihre warme Ausduftung bewiesen, daß sie ganz Gefühl war. Wie berauscht, ohne Bewegung, lag sie da. Ich hob die Decke auf. Sie hatte die Augen geschlossen, und kein Glied regte sich; sie atmete sanft, wie von leichtem Schlummer gebunden, und nur bisweilen zitterte ein leiser Seufzer aus ihrem niedlichen Mund.

Eben stand der Mond vor unserem Fenster und erhellte das Zimmer. Ich besah der Liebe Heiligtum. Oh! Es war mit Blut beströmt, und das Bettuch bezeugte noch mehr den blutigen Kampf. Das arme Mädchen hatte eine harte Probe bei der Einweihung in der Liebe Geheimnisse bestehen müssen.

»Was machen Sie?«

»Ich habe deinen niedlichen Tempel der Liebe im Myrtenhain besehen, in dem ich den Eingang eröffnet.«

»Sagen Sie lieber, daß Sie mich auf die Folter gespannt.«

»Bedauerst du es, liebes Mädchen?«

»Jawohl! Hätten Sie nur die Schmerzen erdulden

müssen! Sie waren über alle Beschreibung groß. Ich glaubte, meinen Geist aufzugeben.«

»Aber jetzt! Gesteh es, Liebe, war dir der Liebe höchster Genuß nicht noch überwiegender?«

»Ich weiß nicht –«

»Nicht? – Dafür sollst du gestraft werden!«

Ich schloß sie in meine Arme, und wir versanken aufs neue in der Wollust höchsten Taumel.

## Neuntes Kapitel
## Gegenwart des Geistes

Im Herbst zog meine Raschmann wieder in die Stadt, und nun war alle Gelegenheit abgeschnitten, nächtliche Besuche abzustatten. Ich mußte mich also weiter umsehen.

Bald machte ich Bekanntschaft mit einer artigen Blondine, die ungemein viel Reizendes hatte, und ich beschloß, mein Heil zu versuchen. Ihre schöne Kleidung hatte mich irregeführt. Es war eine Putzmacherin, und doch wollt' ich nicht zurücktreten, da ich einmal meine Absicht verraten hatte. Sie wohnte in einem engen Gäßchen parterre. Ich kann nicht leugnen, wie ich das erste Mal hinging, um mich eine Nacht zu vergnügen, so fielen mir allerhand Gedanken ein, wer wohl schon dergleichen Besuche bei ihr abgestattet haben mochte und was es wohl für Folgen für mich haben könnte.

Indessen waren meine Besorgnisse unnötig, wie meine Leser aus dem Erfolg sehen werden.

Das närrische Mädchen hielt eine lange, wohlgesetzte Rede über Liebe und ihre Folgen, wie ich sie in meine Arme schloß und küßte.

»Wozu das, Liebe? Genießen ist besser als reden. Wollen wir uns entkleiden?«

»Herr v. H., warum hab' ich wohl Ihren Besuch nicht ebenso standhaft zurückgewiesen, als ich schon mehrere ausgeschlagen habe?«

»Weiß ich das?«

Ich untersuchte ihre Milchhügel, eine feine weiße Haut war ihr ganzes Verdienst, die Erhöhung war gering.

Ihre Schenkel und Hüften waren gut, der Myrthenhain schön, die Spalte wohl geschlossen und der Eingang – ganz eng.

Hätt' ich geglaubt, hier eine Rose zu brechen?

Ich hatte Mühe, mich zu überzeugen, und doch war es so.

Das war auch, was meinen Reiz erhielt; denn der Mangel voller Milchhügel hatte mich wirklich etwas erkaltet.

»Lieben Sie mich, holdes Mädchen?«

»Würde ich mich Ihnen sonst so preisgeben?«

»So ziehen wir uns aus und verschieben den wechselseitigen Genuß nicht länger.«

»Wag' ich nicht zu viel?«

»Nichts, Liebe!«

Unter allerhand Tändeleien hatten wir die Kleider abgeworfen, und nichts verbarg sich dem neugierigen Auge. Ihr Körper reizte mich nicht, er war unregelmäßig und präsentierte sich noch schlechter auf den krummen Beinen.

Ich brachte sie aufs Bett und machte mich gefaßt, den Eingang in den Tempel der Wollust zu öffnen.

Jetzt bemerkte ich erst, wie ungewöhnlich hinterwärts die Öffnung war. Ich ließ sie sich heben, ich legte Kissen unter sie, versuchte alles und erhielt doch keine ordentliche Richtung.

Das Mädchen war vor lauter Gefühl außer sich und durch das öftere Berühren zur sinnlosen Maschine geworden. Sie atmete kurz und geschwind, und zur Muschel brauste ein Schäumchen heraus. Die viele Vorbereitung hatte auch mich in Feuer gesetzt und meine Begier aufs äußerste gespannt.

»Liebe, unsere Mühe ist umsonst, und wenn du dich nicht umdrehst und dich auf die Knie und Hände stellst, so kommen wir nicht zum Ziel.«

Sie wollte anfangs durchaus nicht einwilligen, endlich aber gab sie nach.

Ihre Hinterbacken waren sehr schön weiß und rund. Ich stellte ihre Schenkel auseinander und hatte eine reizende Aussicht. Die Spalte war offen, herrlich rot, und der kleine Hymen stand an dem Eingang der Grotte. Dies machte mich ganz begierig.

Ich stellte meinen Amor an den Eingang, das Mädchen schauderte; ich rückte etwas ein, und es zog zurück.

»Nein, Liebe, Sie müssen widerstehen, wenn nicht alles verloren sein soll.«

Ich umschloß sie fest und rückte mit Nachdruck etwas weiter. Ich fand weniger Widerstand als bei meiner Raschmann. Indessen fing meine Blonde doch an, über Schmerzen zu wimmern und zog immer zurück.

Ich wandte meine ganze Beredsamkeit an, um sie ruhig zu halten. Und bald war es Zeit, wenn ich mich nicht auf dem Weg entladen sollte.

Ich faßte sie also recht fest, stieß, soviel ich vermochte, und war nun so glücklich, eben zu rechter Zeit bis in den Hintergrund zu dringen, um die ganze Grotte zu füllen.

Die Bewegung des Mädchens unter lautem Wimmern war sonderbar.

Ob es die Neuheit der Positur war oder ob sie wirklich viel Bequemes hat, mag ich nicht entscheiden, kurz, meine Ergießung war mit unbeschreiblicher Wollust verbunden, und wenn ich Madame Flammans Liebesgrotte ausnehme, so hatte noch keine meinen Amor so ganz eingenommen.

Mein Mädchen lag unbeweglich, und mein Amor fand viel zu viel Behagen in dem Liebeszwinger, als daß er verlangt hätte, auszutreten.

Ich begann nach kurzer Erholung das Spiel aufs neue. Wie ein angepaßter Ring umschloß der Eingang meinen Amor, und je weiter ich ausholte und je tiefer ich eindrang, je mehr Vergnügen genoß ich. So tief war ich noch nie gekommen; denn mit jedem Stoß konnt' ich meinen Amor bis an die Wurzel einführen, und einen Strohhalm hätt' ich zermalmen wollen.

»Wie ist dir, Liebe?«

»Oh!«

Sie konnte nicht sprechen. Sie besaß ein außerordentliches Temperament und war ganz Wollust. Ihr Atem stockte, ich merkte, daß bei ihr der Reiz stieg, ich verdoppelte also meine Bewegung, um das Vergnügen zu genießen, den Wollustbecher zu gleicher Zeit zu leeren, und erreichte meine Absicht. Sie sank zusammen, und ich mußte sie ganz halten.

Ich verließ jetzt die Stellung, und sie blieb wie starr. Ich betrachtete die Liebesgrotte; noch immer quoll über blutige Zeichen der gebrochenen Rose der Wollustsaft hin, und die aufgedunsenen Lippen zuckten.

Ich wendete sie um, und nach und nach erholte sie sich.

»Wie ist Ihnen, Liebe?«

(Lächelnd:) »Weiß ich's, ob ich lebe oder tot bin?«

Es ist immer ein vortrefflicher Anblick, ein Frauenzimmer im Wollustgefühl zu betrachten. Und je weniger es fühlt, je mehr verliert der Genuß an Wert. Ich habe sehr schöne Frauenzimmer in meine Arme geschlossen, aber ihre Nerven hatten nicht den höheren Grad von Reizbarkeit, und der Genuß verlor an Delikatesse.

Ich sann nun, ob ich es nicht möglich machen könnte, von vorne in den Wollusttempel einzugehen; denn ein Kuß mit vermischtem Zungenspiel gibt doch dem Genuß viel Würze.

Ich gelangte zu meinem Endzweck. Sie stellte ihre Füße auf Stühle und ruhte mit dem Hintern auf dem Tisch; allein ich fand nicht nur weniger Vergnügen, sondern fühlte auch, daß es mich angriff, weil ich stehen mußte.

Mein Mädchen war schon wieder ganz im Taumel. Ich setzte ab, trug sie aufs Bett, stellte sie in die vorige Positur und endigte mit ebensogroßem Vergnügen wie vorher.

## Zehntes Kapitel
## Warum gibt sich der Herr soviel ab?

Der Scherz bekam mir übel. In einer Gesellschaft war eine Witwe von etlichen und dreißig Jahren. Sie war schlank gewachsen, hager, und dennoch glaubte sie, schön zu sein und ging auf Eroberungen aus. Zum Scherz sagte ich ihr allerlei Süßigkeiten vor und war Ursache, daß sie mit ihren Mienen und Gebärden die ganze Gesellschaft belustigte.

Ich begleitete sie auch des Abends nach Hause, hatte aber nichts weniger als die Absicht, dazubleiben. Allein die gute Frau vergaß sich ganz, nötigte mich so dringend und so schön, daß ich allen Anstand beleidigt hätte, wenn ich es abschlug, mit ihr das Abendbrot zu genießen.

»Nun, bleiben Sie noch ein Stündchen.«

Sie zog mich aufs Kanapee, kreuzte die Schenkel und zeigte mir einen niedlichen Fuß und ihre runde Wade. Ihre Miene, jede Gebärde verrieten Verlangen, und jeder Hauch war Begier.

Du wirst einen Liebesdienst tun, dachte ich, wer weiß, wie lange die arme Frau schmachtet. Ich küßte sie und begann Zungenspiel. Wie hastig sie schlürfte, wie inbrünstig sie mich drückte!

Ich schob meine Hand auf ihre bloßen Schenkel. Im Nu waren sie auseinander und machten mir freie Bahn.

Hu, da fand ich ein Gebüsch und eine Spalte und Lippen, in welchen ich meine Hand verbergen konnte.

So wie ich mit meinem Finger den Eingang berührte,

schob sie sich mir entgegen, daß mein ganzer Finger darin war.

Es rang mir ein Lächeln ab, welches sie aber wohl anders auslegen mochte. Sie umschlang mich, überströmte mich mit Küssen und war außer sich.

»Soll ich ganz glücklich sein?«

»Wer kann Ihnen etwas abschlagen?!«

Und schon lag sie und zog mich über sich, daß ich kaum Zeit hatte, mich der Beinkleider zu entledigen.

Habe ich je feurige Augen gesehen, so war es bei dieser Frau. Sie rollten fürchterlich.

Sie erleichterte es mir sehr, jede meiner Bewegung wurde doppelt erwidert, und als ich mich entblößte, glaubte ich, sie wolle mich verschlingen, so hastig küßte sie mich.

»Oh, nur noch etwas –«

»Sie lassen mich zurück –«

Ich tat mein Möglichstes, und durch ihr eigenes hastiges Bewegen erreichte sie auch ihren Wunsch. Mit jedem Erheben schoß ein neuer Strom hervor.

Ich glaubte nun, entlassen zu werden; meine Artigkeit machte sie jedoch ungeniert, und sie trug mir daher an, bei ihr zu übernachten.

Kann ein Mann sich mit Ehren zurückziehen? Der Antrag war mir so unangenehm als möglich; allein was wollte ich tun?

Ich entkleidete meine Donna ganz. Wahrlich, der Anblick war so reizend eben nicht, ein langes, hageres Knochengerippe vor sich zu sehen, an dem die stark behaarten Lippen der Muschel noch die fleischigsten Teile waren. Indessen suchte sie das Nichtvorhandensein ihrer Reize durch tausend kleine Spiele zu ersetzen, und es gelang ihr ganz gut, mich bei Laune zu erhalten. Da meine Augen eben keine Weide an ihrem Gesicht und ihrem glatten Busen fanden, so fiel mir ein, mich an den Äußerungen ihres Gefühls zu begnügen.

Sie trug einen feinen flanellnen Unterrock; ich riß ein Stück ab und fing an, ihre Hinterbacken und Lippen ihrer Muschel zu reiben.

»Das ist mir neu; wozu das?«

»Sie werden mit der Wirkung zufrieden sein.«

Sie geriet in unbändiges Feuer; sie schnaubte.

»Hören Sie auf, ich halte es nicht mehr aus!«

Nun stellte ich sie auf die Knie und Hände.

»O nein!«

»Doch, schöne Frau, Sie werden Vergnügen finden!« Ich muß gestehen, die überaus großen aufgedunsenen Lippen und die Feuerröte, die durchschimmerte, machten einen sonderbaren Anblick. Ich führte endlich meinen Amor ein. Es war glühend heiß in der Grotte, und die gute Frau fing bei seinem Eintritt an, wollüstig zu girren.

»Finden Sie Vergnügen, schöne Frau?«

»A – ach ja!«

»Wollen wir diese Positur behalten? Ich glaube wenigstens, daß ich auf keine andere Art so tief eindringe.«

»A – a – ah! Ge – e – e – sch – winder! Ah! – Ich kann nicht mehr!«

Ich preßte mit meinen Händen ihre Dünnung zusammen und drang so tief, daß sogar der Wollustbeutel von ihren Muschellippen bedeckt wurde. Ich ließ sie die Schenkel noch mehr auseinanderspreizen und fand besonderes Vergnügen, wenn ihre heißen Lippen meine Samenbehälter berührten.

»Ich schmachte! – Eilen Sie!«

Nach einigen verdoppelten Stößen schlürfte sie endlich mit vollen Zügen den Wollustbecher aus.

Ich hatte es nicht nötig, auf Liebkosungen zu sinnen; denn sie war unaufhörlich mit mir beschäftigt und verschwendete alle ersinnliche Zärtlichkeit.

Ich verhielt mich ruhig, und ihre fortdauernde Tätigkeit bewies, wie großes Vergnügen sie genoß.

Kaum fand sie meinen Amor in Positur, als sie ihn unter allerlei Lobeserhebungen streichelte und küßte. Sie warf sich auf mich und ließ mich fast nicht zu Atem kommen vor lauter Küssen.

Sie führte meinen Amor in die Grotte und bewegte sich mit einer Art von verzweifelter Hast. Sie keuchte laut, und unter den heftigsten Erschütterungen floß ein ganzer Strom über mich hin. Matt und entkräftet sank sie nieder.

Ich war indessen ziemlich warm geworden, und da die gute Frau vielleicht nicht so bald wieder eine so vergnügte Nacht haben mochte, wollte ich dazu doch noch alles beitragen, was ich vermochte. Ich legte sie also auf den Rücken und bestieg den Liebesthron aufs neue. Mit stummem Röcheln drückte sie mich an ihre Brust. Ich ließ ihre Beine über meine Hinterbacken kreuzen, spielte mit meinen Fingern an der Hinterspalte und fing den Kampf mit aller Heftigkeit an.

»Sind Sie mit mir zufrieden, liebe Frau?«

»Oh, bei weitem, denn dies ist die vergnügteste Nacht meines Lebens!«

Sehr gebrochen brachte sie dies hervor, und ich freute mich wirklich, der guten Frau ein solches Vergnügen bereitet zu haben. Wie sich endlich meine Wollustquelle öffnete, da blieb ich ruhig, um so recht im Innern der Grotte den Becher zu leeren; allein meine Schöne dachte anders. Als sie dessen nämlich gewahr wurde, fing sie an, sich unter mir fürchterlich zu bewegen und zog mich so fest an sich, daß es mir unangenehm empfindlich war. Ihre unversiegbare Quelle öffnete sich, und mein Amor wurde ebenso stark gebadet wie das erste Mal.

Wahrlich, ich beklage aus ganzer Seele eine solche Frau, welche sich in dem Feuer ihres Temperaments aufzehren muß.

Ich pausierte etwas und wollte mich dann empfehlen.

»Oh, nicht doch, lieber H., gönnen Sie mir doch das Vergnügen, Sie in meinen Armen schlummern zu sehen!«

Da das mir aber nicht zusagte und ich so glücklich war, Ausreden zu machen, welche meine Donna für maßgebend hielt, so wurde nichts daraus.

»Nun, dann wenigstens noch einmal«, bat sie. Und dabei überhäufte sie mich wieder mit Schmeicheleien und Küssen.

Trotzdem hatte ich wenig Lust, noch einmal in den Sattel zu steigen.

Als sie aber in einem fort bat, konnte ich es ihr dennoch nicht abschlagen und versuchte mein Heil abermals. Ich bot alle meine Einbildungskraft auf, um mich in Feuer zu versetzen; allein vergebens, mein Amor hob sich nur sehr wenig. Kaum aber sah sie das, als sie auch schon auf mir lag und mit immer gleichem Feuer arbeitete. Wie vorhin entlud sie im Überfluß, hatte mich warm gemacht, die Szene ward verändert und sie nach Wunsch befriedigt.

Darauf entfernte ich mich, um nie wiederzukommen.

## Elftes Kapitel

## Wir wollen reisen

Dieses war mir ein unangenehmer Spaß; ich fühlte einige Tage die Anstrengung und hatte doch eigentlich kein Vergnügen genossen.

Unstreitig sind dies die vorzüglichsten Auftritte während meiner akademischen Jahre, nicht aber die einzigen. Ich würde zu weitläufig sein, wenn ich alles erzählen wollte, was so manches Ungefähr, manche Gelegenheit und manches Verhältnis darbot. Wer da sucht, findet, und das Suchen war bei mir immer der Fall, ausgenommen die kurze Bekanntschaft mit der Flamman.

Meine Leser mögen mich also auf meinen Reisen begleiten und sehen, wie ich mich da benehme. Ich werde auch hier ebensowenig zu meiner Entschuldigung sagen als bisher und meinen Lesern ganz freie Macht zu urteilen überlassen.

Ich war reisefertig, und mein Balthasar war schon voran mit meinen Sachen, als mich noch folgende Begebenheit einige Tage aufhielt:

Ich ging in einem Garten spazieren und stellte ganz ernsthafte Betrachtungen an, als ich von ungefähr auf vier Damen stieß, wovon die eine meine ganze Aufmerksamkeit auf sich zog. Ihr Wuchs war prächtig, ihr Gang majestätisch, und unter dem Basthut strahlte ein herrliches Gesicht hervor. Ich bog in einen Gang, so daß ich ihnen wahrscheinlich wieder begegnen mußte, um mich ihr vielleicht bemerkbar zu machen; allein es schlug fehl, sie waren umgekehrt, und noch sah ich sie aus dem Garten gehen. Ich eilte nach, sie waren in einen Wagen gestiegen und rollten fort. Ich war verdrießlich, daß mir meine Absicht nicht gelungen war, schlich nach dem anderen Tor zu und wollte ins Hotel de B. Ich glaubte, den Wagen mir entgegenkommen zu sehen. Er hielt vor dem Hotel, und meine Dame stieg aus. Ich erkundigte mich und erfuhr, daß es die Gräfin C. aus Holland sei.

› Wagst du es? Ja!‹

»Ich reise in einigen Tagen ab«, sagt' ich zum Wirt, »meine Sachen sind schon fort, man sieht es gern, daß ich meine Wohnung räume, wollen Sie mir auf einige Tage ein Zimmer geben?«

»Sehr gern«, war die Antwort, und mein Bedienter mußte meinen Mantelsack bringen.

Es traf sich so glücklich, daß noch ein kleines Zimmer nicht weit von dem der Gräfin leer war.

Nun Entwürfe, wie ich mit ihr sprechen könnte! Ich zog ein neues, gutgewähltes Reithabit an und ging ins Kaffeehaus. Bis gegen neun Uhr verweilte ich da und kehrte ins Hotel zurück. Sprang singend die Treppe hinan und öffnete, als ob ich fehl ginge, der Gräfin Zimmer. Ich erschrak, staunte! –

Die Gräfin lag auf dem Sofa, und die Kammerfrau las ihr vor. Ich lief hinzu und küßte ihre Hand.

»Tausend Verzeihung, gnädige Frau, meiner übereilten Unvorsichtigkeit! – Unachtsamkeit hat mich mein Zimmer verfehlen lassen, und ich bin so unglücklich, Sie auf eine außerordentliche, unhöfliche Art zu unterbrechen.«

»Wer sind Sie, mein Herr?«

»Ich bin« … usw.

»Wollen Sie sich setzen?«

»Gnädige Frau, der Anstand – Doch so vielen Reizen auch nur einen Augenblick nah zu sein, kann allen Anstand vergessen machen.«

»Mir fällt das Deutsche schwer.«

»So befehlen Sie, gnädige Frau, und ich spreche Französisch.«

Wir unterhielten uns wohl eine Stunde, und die Gräfin behielt ihre Lage, nur daß ich jetzt mehr oder weniger ihre volle runde Wade zu sehen bekam. Meine große Begierde war rege. Die Kammerfrau entfernte sich.

Ich schwieg und betrachtete die schäumenden Milchhügel, die sich zu bemühen schienen, den leichten Flor abzustoßen.

»So erzählen Sie doch, Herr v. H.! – Sie wollen also reisen?«

Sie stand auf, ich ergriff ihre Hand. »Gnädige Gräfin – ich erzählen? Wenn nicht die Betrachtung ihrer Reize mir jeden Gedanken raubte!«

Sie lächelte, und ich bekam Mut, küßte ihre Hand, und wie ich einen sanften Druck fühlte, schwebte schon mein Kuß auf ihren schönen Lippen.

»Sie sind –«

Ein zweiter Kuß hemmte das Sprechen.

»Nichts zu meinem Nachteil, gnädige Gräfin, wenn Sie mich nicht unglücklich machen wollen.«

»Sie sind sehr rasch!«

Sie richtete sich auf, und ich saß neben ihr und drückte sie mit voller Inbrunst an meine Brust. »Verdammen Sie mich, gnädige Frau«, rief ich, »nur erlauben Sie mir diese Glückseligkeit!«

Meine Hastigkeit hatte das Halstuch weggeschoben,

sie wollte es in Ordnung bringen, allein mein Gesicht ruhte auf den wollüstigen, schwanenweißen Hügeln, und meine Lippen überströmten sie mit Küssen.

»Sie sind verwegen!«

Damit riß sie sich los und wollte gern zürnen, allein ihr Gesicht strafte sie Lügen.

Wir versöhnten uns; ich stand auf, wollte mich empfehlen und bat um die Erlaubnis, morgen meine Aufwartung machen zu dürfen.

Sie hielt meine Hand, forschte in meinem Blick.

»Morgen –?«

Ich verstand das Morgen und wiederholte meine Bitte, mich zum Gehen wendend.

Sie stand auf und hielt noch immer meine Hand.

»Die gnädige Gräfin werden müde von der Reise sein.«

»Ich kam gestern schon an und habe nur kurze Station gemacht.«

»Ich kann nicht anders, als verwegen zu sein, gnädige Gräfin –«

Mit diesen Worten umarmte ich sie aufs neue, sog an ihren Lippen und schnellte mit meiner Zunge.

»Dürfte ich Sie nicht verlassen, mich Ihnen so nah zu wissen und –«

Meine Gräfin ward warm, ihr Gesicht glühte, ich sank mit ihr aufs Sofa, und meine Hand wühlte ungehindert in dem schwelgerischen Busen.

»Junger Mann, Sie besitzen viel, eine Dame zu überraschen.«

»Oh, wäre ich so glücklich!«

Und damit war meine Hand auf ihren bloßen Schenkeln.

»Wollen Sie, daß ich –«

»Daß Sie mich zum glücklichsten Sterblichen machen!«

Der leichte Widerstand hinderte mich nicht, daß ich bis an den Wollusthain gelangte, und Kuß um Kuß trat der lieben Gräfin beim Sprechen hemmend in den Weg.

Ich warf mich mit ihr aufs Sofa, sie wurde sichtbar schwächer, und mein Spielen am Venustempel machte sie ganz unruhig.

»Glücklich bin ich, aber –«

»Eine solche Dreistigkeit ist mir noch nicht vorgekommen!«

Kurz, wir wurden einig. Ich empfahl mich, nachdem ich die erfreuliche Nachricht erhalten hatte, daß ich die Tür zu ihrem Schlafzimmer offen finden sollte.

Es war bald elf Uhr, ich konnte unmöglich länger warten. Im bloßen Schlafrock schlich ich vor die bezeichnete Tür, eben schloß sie die Gräfin auf, und schon stand ich vor ihr und hatte sie in meine Arme geschlossen.

Sie war bloß mit einem Hemd bekleidet und hatte bereits im Bett gelegen. Ich wollte ihr auch das abstreifen; sie weigerte sich, und so riß ich es von oben bis unten auf.

Sie sah mich verwundert an. Im Nu stand ich ganz nackend vor ihr und drückte Busen an Busen. Seit meiner Flamman hatte ich keinen schöneren weiblichen Körper gesehen. Beide nebeneinander gestellt, würde die Wahl unendlich schwer sein, ja überflüssig werden, indem man beide nähme.

Durch alle nur erdenklichen Spielereien suchte ich ihre Begierde zu erregen, und es gelang mir nur zu gut, so daß sie sich über mein Zögern beklagte.

Ich führte sie endlich aufs Bett, sie war ganz Begier und empfing mich mit der wärmsten Umarmung.

Ihre Wollustgrotte war so niedlich gebaut und lag so bequem, daß wir nicht die geringste Kunst nötig hatten, um meinem Amor das Eingehen interessant zu machen. Sie schloß mich fest an ihren Busen, als der Eingang durch den Triumphbogen erfolgt war.

Ich lag unbeweglich, und sie küßte mich unaufhörlich und hob sich bisweilen leicht unter mir.

»Sie verstehen es, mein Feuer zu erregen, und werden auch dafür sorgen, daß es gelöscht werde.«

»Zweifeln Sie, schöne Gräfin?«

»Es wäre nicht das erste Mal, daß ich zehrendem Feuer überlassen werde. Begierden zu erregen ist leichter als dieselben zu befriedigen, wissen Sie das?«

Ich umfaßte meine Gräfin, küßte ihre brennenden Lippen und begann langsam der Liebe süßestes Spiel.

Ihr Gesicht war ganz Wollust, und ihre elastischen Milchhügel schienen auf der hochgewölbten Brust wie junge Lämmer zu hüpfen.

»Schreckliches Feuer!«

Ihre Lippen zitterten. Sie drückte mich fest an sich. Ich merkte, daß ihr Entscheidungspunkt nah war, und fing an, zu galoppieren.

»Lieber, oh! Lieber, oh!« –

Sie verlor die Sprache, und ihr zitternder Atem verwandelte sich in ein leises Girren, indem sich ihre Wollustquelle öffnete.

»Schöne Gräfin, wer behauptet den Kampfplatz?«

Sanftes Andrücken und leises Stöhnen waren die Antwort. Nun füllte ich den Becher mit Nektar der Wollust. Sie bekam Zuckungen und versank in wollüstiges Hinbrüten.

Über ihren ganzen Körper schien Vergnügen hingegossen; ihre lange Erholungszeit bewies, in welchem Grad sie der Liebe Glück genossen hatte.

Mit zärtlich-liebevollem Blick sah sie mich endlich an.

»Werden Sie nicht stolz, wenn ich Ihnen bekenne, daß noch nie wohltuendere Gefühle mein ganzes Wesen erschüttert haben?«

»Nicht stolz, aber glücklich macht mich dies Bekenntnis.«

Damit streckte ich mich wieder über ihren schönen Körper hin und führte meinen Amor in die Grotte.

Ihre Küsse waren äußerst wollüstig.

Ich ließ sie ihre Beine anziehen, brachte meine Hände unter ihren Hintern und rieb an ihrer Spalte, um den Kampf aufs neue zu beginnen.

Anfangs lachte sie herzlich über das Fingerspiel, allein bald beklagte sie sich über zu heftigen Reiz, geriet ganz außer sich, und als die Wollustschale endlich überfloß, fiel sie in Ohnmacht.

Ein herrlicher Anblick; jeder Zug drückte hohes, unnennbares Vergnügen aus. Ich küßte die vollen Milchhügel, sog an den niedlichsten Rosenknöspchen, rieb den samtenen Leib und spielte an ihrem Myrthenhain.

Sie schlug die Augen auf.

»Nun, meine schöne Gräfin?«

(Mit einem Seufzer:) »Wie ist das möglich? Ist ein Mensch so unbeschreiblicher Glückseligkeit fähig?«

Sie schmiegte sich an mich.

»Warum mußte ich Sie kennenlernen, warum mußte ich erfahren, wieviel mir fehlt?«

Ich wollte mich in mein Zimmer begeben, allein sie wünschte, an meiner Seite zu schlafen.

Schon war es hoher Tag, als wir erwachten. Welch zärtliches Feuer leuchtete aus ihren Augen!

»Wann werden Sie abreisen?«

»Morgen, gnädige Gräfin.«

»Nein, das sollen Sie nicht. Ich muß wenigstens noch vier Tage hierbleiben, und Sie werden daher Ihre Abreise solange hinausschieben; nicht wahr, Sie versprechen mir es?!«

Dabei küßte sie mich so feurig und drückte mich so fest an ihren Busen, als ob sie meine Bejahung herauspressen wollte. Ich hatte schon gestern daran gedacht und war daher ziemlich mäßig gewesen, um unser Vergnügen zu verlängern.

»Ich würde, gnädige Gräfin, gleich ja sagen, wenn ich ebensogut Feuer zu löschen wie zu erregen verstände.«

»Sind Sie so lobgierig? Ich bereue, Ihnen das gesagt zu haben, und bitte tausendmal um Verzeihung.«

Als Antwort darauf umarmte ich meine Gräfin, schwang mich in den Sattel und begann wollüstiges Zungenspiel. Ihr Auge schmachtete. Ich ließ sie ihre Beine über meinen Hintern kreuzen und führte meinen Amor durch das Siegestor.

»Wahrlich, Sie verstehen es, den Genuß der Liebe zu vervielfältigen! Aber nicht zu hastig, lieber H., Sie dringen zu tief, es schmerzt.«

Nicht lange klagte sie darüber, bald gossen wir mit den wollüstigsten Empfindungen unseren Lebensbalsam aus. Ich hatte die paar Tage noch sehr vergnügt hingebracht. Meine Donna ließ mich fast nicht aus ihren Armen. Wir fuhren einmal in ihrem englischen Reisewagen spazieren. Sobald wir ins Freie kamen, nahm sie mich in die Arme, drückte an eine Feder, und wir lagen ganz bequem nebeneinander.

Ich hob bald ihren Rock auf und streifte meine Beinkleider ab, und wir lagen in eins vereinigt.

Die Erschütterung des Wagens machte sonderbare Empfindungen und verursachte den wollüstigsten Taumel, der sich denken läßt.

Am letzten Tag, als ich gegen Abend in ihr Zimmer trat, lag sie, in tiefe Gedanken versunken, im Fenster.

Ich schlich mich unbemerkt heran, ließ meinen Amor vortreten, hielt sie fest und war in ihrem Wollusttempel, ehe sie Zeit hatte, es zu verhindern.

Nach einigen Bewegungen:

»Nein, lieber H., das vergnügt mich nicht, kommen Sie aufs Sofa!« Ich folgte ihr, und wir genossen großes Vergnügen.

In der letzten Nacht zeigte ich mich als ganzer Mann. Wir leerten siebenmal den Wollustbecher.

## Zwölftes Kapitel

# Man benutzt die Gelegenheit

Ich hatte zwei Monate gefastet, als ich in Lyon ankam. Warum, weiß ich selbst nicht. In dem Hotel, wo ich wohnte, hatte ich ein sehr niedliches Weibsbild bemerkt und fühlte Neigung für sie. Sie war mir näher als ich glaubte; ihr Zimmer stieß an meine Kammer und war bloß durch eine dünne Bretterwand geschieden, in der noch dazu eine Tür sich befand. So bequem als möglich!

Wie ich eines Tages das Licht auslöschte, bemerkte ich ziemliche Spalten und gleich neben meinem Bett ein großes Astloch, weil das Dämchen noch Licht hatte. Ich war neugierig, legte mein Auge an dasselbe, und siehe da – eine außerordentlich niedliche nackende Figur stand vor dem Spiegel und steckte die Haare los. Es wäre mir nicht möglich gewesen, im Bett zu bleiben. Nur war die Frage, wie ich zu meiner schönen Nachbarin kommen wollte. Es war schon etwas spät. Indes warf ich mich geschwind in mein Nachtkleid und ging hinaus, ob vielleicht noch ihr Mädchen zu sprechen wäre. Eben trat sie aus dem Zimmer.

»Schönes Kind, könnte ich wohl nur zwei Worte mit Ihrer Gebieterin sprechen?«

Das Mädchen sah mich an.

»Oder ist's schon zu spät? Es ist aber dringend!«

In einigen Minuten kam sie wieder.

»Madame erwartet Sie.«

Ich trat herein, machte einige Entschuldigungskomplimente, die sehr artig erwidert wurden, und entdeckte ihr mit den zärtlichsten Ausdrücken, was ich durch die Wand gesehen und was das für eine unbeschreibliche Wirkung auf mich gemacht hätte.

Sie sprang auf und sprach von Infamie und der Himmel weiß wovon.

Ich nahm sie in meine Arme. Sie hatte nur einen langen Schlafrock umgeworfen, und wie durch ein Ungefähr kam meine Hand auf ihre bloße volle Brust.

»Madame, ich liebe, und könnten Sie wirklich zürnen, daß Ihre unvergleichlich interessante Figur einen so großen Eindruck auf mich gemacht hat, so müßten Sie sehr indiskret sein.«

Ich ließ sie nicht zu Wort kommen, küßte jeden Laut von ihrem Mund und drohte, nicht eher aufzuhören, bis sie besänftigt wäre.

Sie fing endlich an, überlaut zu lachen und versicherte auf Ehre, daß ihr noch kein Franzose eine so drollige Liebeserklärung gemacht hätte, und des Sonderbaren wegen wollte sie mir ihre Gunst schenken. Jetzt aber sollte ich mich entfernen, weil ihr Mädchen mich hier wüßte; allein morgen –

»Ich gehe, Madame, und hier (indem ich die Tür nach meiner Schlafkammer aufriegelte) komme ich wieder.«

»Weil es sich so fügt, will ich nicht die Grausame spielen.«

Sie schellte, und ihr Mädchen begleitete mich auf mein Zimmer und schien in meinen Augen zu forschen, was ich wohl Wichtiges ihrer Frau gesagt haben möchte.

Ich war also bald wieder bei meiner lieblichen Französin. Wir wurden bekannt und wußten nichts von Zeremonien.

Bereitwillig ließ sie sich den Schlafrock ausziehen und erwiderte jede Tändelei mit vieler Grazie.

So erhaben hatte ich noch keine Grotte der Wollust gesehen; denn, wenn sie aufrecht stand, leuchtete der rötliche Eingang hervor. Der Tempel selbst war außerordentlich schlüpfrig, hatte einen geräumigen Eingang, und Gott Hymen war so stark beleibt, wie ich ihn noch nie zu Gesicht bekommen hatte.

Man hatte mir erzählt, daß die Französinnen überaus schlüpfrig wären, und die erste, die ich in meine Arme schloß, bestätigte dies.

Sowie ich den Kampf begann, war sie ganz Unruhe unter mir. Bald legte sie einen, bald beide Schenkel über mich, drückte mich, schlug mich; bald bewegte sie sich geschwind, bald zog sie sich zurück, daß mein Amor nur halb eindrang, und bald hielt sie sich in die Höhe, daß er ganz in die Tiefe geriet, und so waren ihre Hände auch in beständiger Bewegung.

Als endlich ihr Reiz aufs höchste stieg, so stotterte sie unaufhörlich:

»Ah! – Je ne peux plus!« (Ich kann nicht mehr!) »Ah! Ah! – Je me meurs!« (Ich sterbe!) »Ah! Ah! Ah! Vi – vite! Vite!« (Schnell!)

Ich konnte mich des Lachens nicht enthalten; allein sie ließ sich nicht stören und plapperte fort, bis ihr die Sprache ganz verging.

Als ich sie am Morgen verließ, versicherte sie mir mit außerordentlicher Annehmlichkeit, daß ich ein so braver Kavalier sei, der keinem Franzosen etwas nachgäbe.

Sonderbar, daß auch hierin diese Nation sich vorzüglich glaubt.

## Dreizehntes Kapitel
## Ein kurioses Schauspiel

Als ich darauf den Nachmittag nach Hause kam, hörte ich durch meine offene Kammertür in meiner Nachbarin Zimmer sprechen. Meine Neugier lockte mich an das Astloch an der Wand.

Ich stutzte, als ich Madame und Monsieur ganz nakkend auf dem Sofa in völliger Liebeshandlung sah und noch eine männliche Stimme hörte:

»So endigt doch endlich, ich verbrenne!«

Es war ein sonderbares Schauspiel, die beiden auf dem Sofa handeln zu sehen. Unter beständigem Sprechen machten sie tausenderlei drollige Kapriolen, bis endlich ihre Körper in schlaffe Ruhe sanken.

Und fast in demselben Moment kam der andere, hob jenen ab und nahm seine Stelle ein.

Sie: »Nur ein wenig Ruhe!«

Er: »Wie ist mir das möglich?«

Und damit arbeitete er mit solcher Hitze, daß er in einigen Minuten kraftlos dalag.

Meine Nachbarin ist ein Freudenmädchen, dachte ich und wollte mich entfernen, als ich bemerkte, daß der erste sich wieder kampfbereit machte. Ihm folgte wieder der zweite, und dann nahmen sie einige Erfrischungen zu sich.

Ungeachtet dies Schauspiel mein Blut in heftige Wallung versetzt hatte, so schien es doch, als ob mir alle Lust zu meiner Nachbarin vergangen wäre. Es war mir auffallend, daß sie sich zweien überließ. Indes schien sie nicht im geringsten von ihrer Munterkeit verloren zu haben, im Gegenteil spöttelte sie über das abgenommene Feuer der beiden Herren.

Dadurch ward deren Ehrgeiz beleidigt, und beide waren bereit. Man nahm einen Würfel, warf und lachte dazu.

Und nun stellte sich der andere auf alle viere; das Frauenzimmer legte sich auf seinen Rücken, so daß ihr Hintern auf seine Schultern kam. Es machte einen sonderbaren Prospekt, den schön frisierten Kopf zwischen den weißen runden Schenkeln und höher der Liebe Myrthenhain mit dem geöffneten Liebestempel unter dem schön gewölbten Schneegebirge. Jetzt nahm der andere seinen Platz über der Dame ein, die sich mit einem Arm um des anderen Leib schlang und mit der anderen Hand seinen Amor umfaßte. Ein komischeres Schauspiel sah ich bis jetzt noch nicht, und das beständige Sprechen und Seufzen und Stöhnen aller drei untereinander reizte mein Lachen so, daß ich nicht Kraft genug hatte, es zu unterdrücken.

Die Herren waren fertig, und die Dame – schalt sie, daß sie so schlecht ihre Schuldigkeit getan hätten.

»Will ich zufrieden sein«, sagte sie, »so werd' ich wohl noch meinen plumpen Deutschen rufen müssen, der Euch, bei meiner Ehre, alle beide beschämt.«

Das artige Kompliment verdroß mich entsetzlich. Du wirst sie strafen, und wär es auch zu deinem Nachteil, war mein Entschluß. Kaum daß sich die Herren entfernten, so sah ich, daß sie sich säuberte und wusch; und als sie den Nachtrock überwarf, drückte ich an die Tür, die sich auch sogleich öffnete.

Ich entledigte mich meiner Kleider und ergriff sie

ziemlich plump. Sie entschuldigte sich mit übler Laune und bat, das Vergnügen bis auf die Nacht zu verschieben. Das lag nicht in meinem Plan; ich wollte ihr keine Erholungszeit gönnen, sondern legte sie gleich aufs Sofa, preßte sie aus allen Kräften zusammen, und allen Bitten und Flehens ungeachtet, bewegte ich mich so heftig und stark, daß ich ihr gern glaubte, als sie über Schmerzen klagte.

Sie wollte sich endlich ganz losreißen; allein ich hatte sie zu fest umklammert.

»Oh, vous êtes un barbare!« (Oh, Sie sind ein Barbar!)

»Madame, c'est vatre lourdaud allemand.« (Madame, das ist Ihr plumper Deutscher.)

Sie schwieg, und ich behandelte sie mit äußerster Strenge, so daß sie die Zähne zusammenbiß und ihr die Tränen aus den Augen rollten, wie endlich sich meine Wollustnerven öffneten, so zog ich meinen Amor aus der Grotte und versagte ihr auch die Labung. Ganz entkräftet ließ ich sie auf dem Sofa liegen und entfernte mich mit der Warnung, daß sie künftig behutsamer in ihren Ausdrücken sein möchte.

## Vierzehntes Kapitel
## Wir sind in Paris

Wenn an irgendeinem Ort in der Welt dem Gott der Liebe zahlreiche Opfer gebracht werden, so ist es in Paris. Das ist bekannt, und ebenso bekannt ist es, daß man nirgends der Liebe einen solchen Grad von Verfeinerung zu geben weiß wie hier. Hier liebt alles, Frauen und Mädchen vom höchsten und geringsten Stand finden das geringste Bedenken lächerlich, einen Liebhaber, der ihnen gefällt, zu beglücken. Auch ist es nur zu bekannt, in welche Ausschweifungen man ausartet; ich habe also nicht nötig, etwas darüber zu sagen, sondern kann bei meiner Person stehenbleiben.

Und auch da will ich etwas hervorheben. Durch Empfehlungsschreiben hatte ich Zutritte in verschiedene hohe Häuser, und meine Wenigkeit fand zuerst Beifall bei der Marquise B.

Ich hatte ihr alle möglichen Artigkeiten erwiesen und hoffte. Glaubte mich aber der Erfüllung meines Wunsches noch nicht so nahe, als ich eines Morgens um elf Uhr ein Billett erhielt, in welchem mir die Marquise meldete, daß sie diesen Nachmittag für niemand zu Hause sein würde, außer wenn ich sie beehren wollte. Ich legte das modernste Kleid an, das mir der Schneider mit Professorenberedsamkeit angepaßt und mir hundertmal versichert hatte, daß man mich darin von dem geborenen Franzosen nicht unterscheiden würde. Nun flog ich mit Stutzerleichtigkeit zu meiner Marquise.

Ich könne unangemeldet eintreten, erfuhr ich im Vorsaal, und schon stand ich in dem Kabinett und wollte eben ein recht gut gesetztes Kompliment zu rezitieren anfangen, als ich sah, daß meine Angebetete auf dem Sofa lag und schlief.

›Hoho‹, dachte ich, »da kannst du ja ganz frei und ungeniert zu Werke gehen!‹

Ihre Lage war so wollüstig und ihre Kleidung so leicht und durchsichtig, daß man jeden Muskel unterscheiden konnte. Sie war von mittelgroßer Figur, weder zu mager noch zu fleischig und durchaus gleichmäßig gebaut. Ihre Brüste waren wie fast bei allen Französinnen voll und rund, auch vielleicht etwas größer als gewöhnlich.

Ich stand einen Augenblick und überlegte, wie der Angriff anzufangen sei. Ohne viel Umstände, das ist die Hauptsache. Nun schob ich meinen rechten Arm unter ihren hohlen Rücken, drückte meine Lippen sanft auf ihren halboffenen Mund und suchte mit meiner Zunge die ihrige.

Sie tat, als ob sie schwer träume, und bei einem herzhaften Kuß schreckte sie zusammen und erwachte:

»Mein Herr, wer gab Ihnen ein Recht zu dieser Freiheit?«

»Zeit, Ort, Lage, Schönheit, unwiderstehliche Reize – schönste Marquise; ich unterwerfe mich jeder Strafe, nur strafen Sie mich nicht mit – Entfernung.«

Sie lächelte, und ich küßte sie.

»Wer sollte bei einem Deutschen soviel Dreistigkeit suchen? Gewöhnlich sind Ihre Landsleute bis zum Ekel unentschlossen.«

»Jetzt, schöne Marquise, zur Sache; ich bin so glücklich, von Ihnen geliebt zu werden?«

»Nach Ihrem Betragen, dächte ich, sollte Ihnen diese

Frage nicht einfallen. Sie verraten den Deutschen damit, welchen Sie durch Ihr Handeln verleugneten. Wenn eine Dame nur für Sie zu Hause ist –«

Ich ließ sie nicht ausreden, stürzte mich über sie und überhäufte sie mit Küssen. Meine Hand befand sich bald in dem Heiligtum der Venus, welches ungeheuer reizbar zu sein schien. Ich wurde warm, sprang auf, um die Kleider abzuwerfen, und zog meine Donna ebenfalls aus. Mit merklichem Vergnügen betrachtete sie meinen Amor, spielte mit ihm und versicherte, daß er eine hoffnungsvolle Miene hätte.

Arm in Arm lagen wir da, und mein Amor befand sich in der wollüstigen Muschel.

»Wie Sie glühen! Hüten Sie sich, das Vergnügen abzukürzen!«

»So würde die Schuld auf Ihre bezaubernden Reize fallen; allein sie werden auch mächtig genug sein, um wieder Kraft zu neuem Vergnügen einflößen zu können.«

Wirklich fühlte ich auch, daß mich die wollüstige Wärme in ihrer Grotte dem Entscheidungspunkt schneller als gewöhnlich zuführte. Bald empfing meine Liebe eine reichliche Nektarergießung.

Sobald sie es gewahrte, schloß sie mich fest an sich, sog an meinen Lippen und bewegte ihre Augen schwärmerisch.

Seit langer Zeit hatte sich so süßer Wollusttaumel nicht meiner Sinne bemächtigt. War es die außerordentliche Liebenswürdigkeit meiner Marquise oder der schwelgerische Bau ihres Wollusttempels, der mir diesen außerordentlichen Genuß verschaffte? Ich weiß es nicht.

Mein Amor war auch nur leicht erschlafft, er erhielt sich in der Richtung und verließ den wonnigen Ort nicht, wo es ihm so wohl behagte.

Die Marquise bezeigte ihre Verwunderung darüber, und ihre niedlichen und zärtlichen Karessen hatten bald mein ganzes Feuer wieder angefacht.

»O mein lieber H., solch Vergnügen hätte ich mir nicht versprochen.«

Unter sanften Küssen fing ich an, mich zu bewegen. Wie sie aber fühlte, daß mein Amor ganz geschickt zum Kampf sei, so faßte sie meine Hinterbacken fest und bewegte sich heftig hin und her mit außerordentlicher Behendigkeit. Ihr brechendes Auge, ihre hochrote Gesichtsfarbe, ihre bebenden Lippen, ihr zitternder Atem und die Zuckungen in allen ihren Muskeln verkündigten den Augenblick des hohen Gefühls.

Ich schob meine Hände unter ihre Hinterbacken, spielte an der Spalte und suchte ihr Vergnügen soviel wie möglich zu vermehren. Ihre Quelle floß, sie klammerte sich an meinen Hals, und stockend bat sie mich, still zu ruhen. Unnennbares Vergnügen durchströmte alle meine Adern, wie ihr Wollustnektar so sanft über meinen Amor hinfloß.

Ich geriet außer mir, konnte nicht mehr ruhen, und wir fingen mit vielem Eifer der Liebe schönstes Spiel wieder an. Die Göttin der Liebe begünstigte unsere Bemühungen, indem wir mit dem größten Entzücken zugleich den Wollustbecher leerten. Wir kleideten uns an. Meine Marquise ließ mich fast nicht aus ihren Armen.

»Übermorgen will ich die Nacht in meinem petite maison (kleinen Haus) zubringen, in der Vorstadt K. Oh, Sie fahren gleich mit mir.«

Was petite maison in Paris ist, werden meine Leser wissen, und wie wir uns da vergnügt haben, sollen meine Leser wissen.

## Fünfzehntes Kapitel

# Ich befinde mich ganz wohl

Meine Leser wissen, wohin wir fuhren. Gegen Abend schickte sie ihre Bedienung fort bis auf eine alte Kammerfrau. Wir brachten einige Stunden unter allerhand lieblichen Gesprächen hin. Endlich nötigte sie mich, in ein Nebenzimmer zu gehen, wo ich meine Instruktion erhalten würde. Ich traf eine alte Frau, die sich denn mit vieler Lobeserhebung über meine Person hermachte und mich auskleidete. Sie ölte meine Haare ein, flocht mir einen Efeukranz um den Kopf und bestrich mich mit wohlriechendem und stärkendem Wasser. Die Alte war unerschöpflich im Sprechen, sie konnte kein Ende finden, mich zu reiben, und meinen Amor küßte sie einmal um das andere und versicherte hoch und teuer, daß sie wenig so große, wohlgeformte und vielversprechende in ihrem Leben gesehen hätte, und sie könnte nicht umhin zu wünschen, daß sie dreißig Jahre jünger sein möchte.

Aus Scherz sagte ich, wenn sie mich einmal besuchen wollte und ich ihr einen Dienst erzeigen könne, so würd' ich mir ein Vergnügen daraus machen.

Diese Erlaubnis wollte sie sich zunutze machen, erwiderte sie, und ich würde dann auch als honetter Mann mein Wort halten.

Sie öffnete jetzt ein Zimmer; mein Gesicht ward von der Pracht geblendet, und ich glaubte, in ein Feenschloß versetzt zu sein. Man sah sich in einen angenehmen Hain versetzt. Die Bäume waren der Natur abgestohlen, und lange blieb ich zweifelnd, ob die Kunst wirklich so täuschen könnte. Die Wand war so vortrefflich gemalt, daß man den dunklen Wald in der Ferne und den Abendhimmel dort mit dem allerletzten Widerschein der gebrochenen Strahlen der unserem Horizont schon weit entfernten Sonne wahrhaft zu erblikken glaubte. Der Sternhimmel an der Decke und der volle Mond, das einzige Licht, welches man sah, machte eine bezaubernde Wirkung. Ein Zephir durchsäuselte das Laub und hauchte den wollüstigsten Wohlgeruch. Ich stand wie angeheftet, und Wonne ergriff mich, als jetzt eine Nachtigall ihre zärtlichen Töne anhob.

Endlich wagte ich es, weiterzugehen. Wie ward mir, als ich neben einem Springbrunnen an einem großen Hügel, im Schatten eines dichtbelaubten Baumes, die schönste weibliche Figur in Paradieskleidung, natürlich auch ohne Feigenblatt, schlummern sah! Ich näherte mich ihr; sie erwachte, reichte mir die Hand und zog mich auf das elastische Polster neben sich.

»Hat Sie Daphnes Aufenthalt überrascht?«

»Schönste Marquise –«

»Ich bin jetzt Daphne, die Apollo erwartete.«

Das Überraschende hatte zu großen Eindruck auf mich gemacht, als daß ich fähig gewesen wäre, meine Bewunderung und noch viel weniger die Größe meines Glücks auszusprechen.

Ich konnte mich nicht satt sehen an meiner Daphne. Ihr schönes Gesicht war von langem, schwarzen Haar umwallt, ihr schöner Busen, der zum Genuß winkte, die blendende Weiße ihres Körpers, die ganze Form und Lage, der Ort, das schauerliche Dunkel – alles wäre fähig gewesen, kalten Marmor zu erwärmen.

Ich fühlte brennendes Feuer, warf mich über sie, schloß sie in meine Arme und führte Gott Amor in den Kronsaal. Sie empfing mich mit aller möglichen Zärtlichkeit. Ich hörte es rauschen, blickte auf, und siehe da, eine Myrthenlaube war auf einmal über uns hingezaubert.

Welche himmlische Überraschung!

Kaum begannen wir den Liebeskampf, als zwei Flöten gewissermaßen die Schlachtmusik dazu anstimmten.

Meine Empfindungen erreichten den Höhepunkt.

Unser leises wollüstiges Girren bezeugte, wie glückselig wir waren. Die Flöten schwiegen, wir leerten den Wollustbecher bis auf den Grund und versanken in ein seliges Hinbrüten.

Nachdem wir längere Zeit in beglückender Umarmung gelegen, sagte meine liebenswürdige Eva:

»Wollen wir aufstehen, lieber H.?«

Eine kleine Wendung meiner Marquise, und die Myrthenlaube existierte nicht mehr.

Nun standen wir auf und gingen um das Gebüsch in eine heller beleuchtete Grotte, woselbst wir Erfrischungen fanden. Ein wollüstiges Sofa nahm uns auf, und unter den zärtlichsten Spielereien ermunterten wir unsere Lebensgeister durch wohlschmeckenden Rebensaft zu neuer Wollustfreude. Bei solch einem reizenden weiblichen Geschöpf – wer mag da seine Begierden zu bezähmen?!

Bald lag ich in Daphnes Armen und sog Wollust aus ihrem Rosenmund.

Mit Neckereien trat Amor in den Tempel der Venus, küßte Hymen und floh eilend an den Eingang zurück, um zu sehen, ob er verfolgt würde. Unversehens hob Daphne ihren wonnereichen Schoß, und Amor lag in Hymens Armen, ehe er an weitere Flucht denken konnte. Jetzt vereinigten sie sich zum Vergnügen, mit leisen Liebesschlägen verfolgte einer den anderen, bis sie ermüdet sich ins Meer der Wollust stürzten und ihre Erhitzung abkühlten. Die Glocke schlug zwölf, und zwei Flöten stimmten ein schmelzendes Adagio an.

Meine Daphne führte mich in das wollüstige Bett. Arm in Arm, Busen an Busen, Lippe auf Lippe, versanken wir in wollusterregende Eiderdaunen. Neue Gefühle erwärmten uns, wir schmachteten nach Genuß, als ob wir uns jetzt zum ersten Mal umfingen. Wir suchten alles auf, was uns den Genuß versüßen konnte. Unser schäkerndes Kämpfen machte uns warm, eine wollüstige Atmosphäre umgab uns, leichte Schweißtröpfchen machten unsere Körper noch schlüpfriger. Wir verloren die Sprache, leises Stöhnen drängte sich aus unserer Brust, und mit unbeschreiblichem Wonnegefühl sanken wir in einen Wollusttaumel, der uns den erquickenden Armen des Schlafgottes überlieferte.

Verzeiht, zärtliche Glossen und schöne Flamman, ich genoß in euren Umarmungen viel Seligkeit, allein meine Daphne übertraf euch weit. Bei ihr war alles vereint, was nur ihr Reiz heißen kann, und der leichtesten Karesse wie dem höchsten Genuß wußte sie unerklärliche, unbeschreibliche Feinheit zu geben, die jeden Nerv in die wollüstigste Schwingung versetzte.

Der junge Tag weckte uns. Aus den Armen des Schlafes eilten wir in die Arme der Liebe, und wir waren die glücklichsten Sterblichen.

Fast ein ganzes Jahr blieb ich in Paris. Mein Umgang mit meiner Marquise dauerte ununterbrochen fort, was bei einer französischen schönen Dame von Temperament gewiß zu bewundern ist. Unsere letzte Umarmung war an Feuer, Zärtlichkeit und Wohlbehagen der ersten völlig gleich.

Meine Marquise war bei meiner Abreise untröstlich.

Sechzehntes Kapitel

## Wer hätte geglaubt, daß sie ernstmachen würde?

Ich lag eines Morgens noch im Bett, als mir mein Bedienter meldete, daß ein Frauenzimmer draußen wäre, die mich zu sprechen verlange.

»Wer ist sie?«.

»Ich weiß es nicht, sie wollte mir ihren Namen nicht sagen, vermutlich –«

»Nu n, was vermutest du?«

»Vermutlich hat sie so etwas Gewisses von geheimen Aufträgen; wer weiß, von welcher schönen Dame.«

»Meinst du? Wenn sie aber ein eigenes Anliegen hätte?«

»Da ist sie zu alt dazu. Ein halbes Jahrhundert steht ihr wenigstens auf der Stirn geschrieben.«

»Ich glaube, du wirst noch witzig, wenn wir lange hierbleiben. Laß sie hereinkommen.«

Und siehe, es war der Marquise alte Kammerfrau.

Vermutlich eine schöne Einladung, dachte ich.

»Mein Herr, Sie waren unlängst so galant und gaben mir die Erlaubnis, Sie zu besuchen, und hier sehen Sie mich.«

»Es freut mich –«

Ich staunte, wahrlich, ich freute mich nicht. Sollte sie ernst machen? Ich konnte mich kaum in Fassung halten.

Und sie machte ernst, setzte sich auf mein Bett, sprach so verliebt und zärtlich, wie kein deutsches Mädchen von achtzehn Jahren sprechen kann. Endlich legte sie sich über mich und küßte mich, fuhr mit der Hand unter die Decke und erhaschte meinen Amor.

»Oh, der charmante, niedliche Knabe! Wie schön er ist!«

Ihre Augen glänzten vor Wollust.

Wohl oder übel, es ist ein Übergang, dachte ich, stand auf und schloß die Tür ab und legte sie aufs Sofa.

Mein Bedienter irrte gewiß nicht in Ansehung ihres Alters; allein ich wunderte mich über die noch festen und starken Schenkel. Der Myrthenwald hatte freilich viel gelitten und manchen Sturm und manche Überschwemmung ausgehalten und bestand meistens aus dornigem Gesträuch; und der Eingang in den Wollusttempel war von den vielen Wallfahrten so geräumig, daß er einem schmalen Tal fast gleichkam.

Gewiß kein sonderlicher Reiz, indessen – ich faßte Posto und benahm mich, so gut ich vermochte.

Es war ein wahres Vergnügen, die abwechselnden Posituren und Kapriolen anzusehen, die sie annahm, um mich in Feuer zu bringen, und es mißlang ihr auch nicht gänzlich.

Als ich endlich den Nektar der Wollust ausgoß, so glaubte ich, sie würde wütend. Sie wußte meinen Amor so zu pressen, daß er nicht ganz ohne Gefühl abtrat.

»Sie sind ein braver Kavalier! Oh, wär ich doch dreißig Jahre jünger!«

Mein lieber junger Leser, es ist keine Wohltat für deinen Körper, wenn dich der Zufall an den Altar einer älteren Frau führt. Du verlierst ohne den geringsten Ersatz. Im Gegenteil! Du strengst dich bei einer fünfzigjährigen Matrone mehr an als bei drei zwanzigjährigen Frauenzimmern. Die erstere hat nicht mehr die Macht, eine Atmosphäre um ihren Körper auszubreiten, in welcher du die Ergießung deiner Kräfte wieder ersetzen könntest. Du allein machst die ganze Atmosphäre; dein Feuer erwärmt und kräftigt sie. Ein altes Frauenzimmer ist wie ein Schwamm zu vergleichen, welcher zwar einsaugt und aufschwillt, aber nichts von sich gibt. Willst du dich überzeugen, so brauchst du nur junge Männer, die alte Weiber geheiratet haben, anzusehen, und wirst finden, daß sie schwächlich oder gar elend sind. Andererseits wirst du manchen alten Krauter, der eine junge Frau hat, lustig und vergnügt, ich möchte sagen, jugendlich finden. Dieses kommt daher, weil seine Kräfte durch die Umarmungen seiner jungen Gattin gehoben werden und er noch einmal jung wird. Die Vereinigung des Mannes und des Weibes erhält das Menschengeschlecht. Vereinigung ungleichen Alters ist aber zu vergleichen mit einem vom Wurm angestochenen Apfel – eine wurmstichige Vereinigung zu nennen.

## Siebzehntes Kapitel

# So gefällig sind deutsche Damen nicht

»Wollen Sie mir eine Gefälligkeit erweisen, mein lieber H.«, sagte einst mit aller Zärtlichkeit meine Marquise.

»Sie dürfen befehlen!«

»Morgen soupieren wir bekanntlich bei der Duchesse. Sie würden mich verbinden, wenn Sie ihr mehr Süßigkeiten sagten als gewöhnlich.«

»Und wenn ich so frei sein darf zu fragen, warum?«

(Sie lächelte:) »Haben Sie denn noch nichts bemerkt? – Sie liebt Sie sterblich und hat sich sehr bitter gegen mich über Ihre Kälte beklagt.«

»Allein, schönste Marquise, wenn man das Glück genießt, Sie so nahe, so genau zu kennen!«

»Ein Franzose denkt, wie er es nennt, billig, er ist einer jeden Dame gefällig.«

»Der Deutsche hingegen nennt das treulos.«

»Sie sind jetzt in Frankreich, die Duchesse ist meine Freundin, daher werden Sie mich unendlich verbinden, wenn Sie ihr einen Monat die Aufwartung machen. Aber – dann kehren Sie doch lieber in diese Arme zurück, die Sie jetzt umschließen?«

»Und welche Meinung wird sie von mir bekommen, wenn ich auf einmal abbreche?«

»Sie wird Sie einen Flüchtling schelten und schwören, daß Sie von väterlicher und mütterlicher Seite her aus französischem Geblüt abstammen.«

»Ich bleibe bei Ihnen.«

»Nein, lieber H., ich habe es der Herzogin versichert,

daß sie Ihnen unendlich teuer wäre, bloß eine, den Deutschen eigentümliche Ehrfurcht für Damen Sie bisher zurückgehalten hätte, ihr die Liebe zu gestehen. Sie versprach mir also –«

»Ich verliere zu viel, schöne Frau.«

»Wenn Sie wahr reden, so wird die Rückkehr mit um so größerem Vergnügen verbunden sein.«

Ich mußte es versprechen.

Die Duchesse war in jeder Hinsicht ein sehr reizendes Frauenzimmer. Jung und blühend, wohlgenährt; aus ihren Augen blitzte wildes Feuer.

Ich saß beim Abendessen an ihrer Seite. Sie war außerordentlich wollüstig angekleidet. Ihre Milchhügel, die unaufhörlich über die enge Schnürbrust schäumten, verrieten gewaltiges Feuer in ihrem Busen. Ich nahm alle meine Artigkeit zusammen und bemerkte, welche Wirkung mein Betragen auf sie machte. Wie von ungefähr schob ich mein Knie unter ihren Schenkel, als ich mich einmal etwas gegen sie wendete. Sie drückte mich sanft, und eine Feuerröte überzog ihr Gesicht. Ich strich mit meiner Hand ihre wohlgenährten Schenkel, fand die Öffnung im Rock und zog ohne Widerstand das Hemd in die Höhe, um die weiche samtene Haut zu reiben. Gern wäre ich bis zu der Venus geheiligtem Hain gedrungen, allein es konnte nicht unbemerkt geschehen.

Die Gesellschaft war ziemlich zahlreich, und nach der Tafel wurde gespielt. Ein korpulenter Abbé hielt die Bank, und die Duchesse schlug meiner Marquise und mir ein L'hombre vor. Als wir uns setzten, klagte sie über große Hitze. Die Marquise winkte mir mit den Augen. Ich verstand es und fragte, ob ich so glücklich sein könnte, sie in ein Nebenzimmer zu führen, wo sie frische Luft schöpfen könnte. Mein Vorschlag wurde sehr willig angenommen.

Wir setzten uns auf ein Sofa. Nach einigem Händeküssen schlang ich meinen Arm um ihren Nacken, küßte ihren Rosenmund und spielte an ihren Wollusthügeln.

»So werden Sie mich nicht abkühlen, lieber H.?«

Ich bog sie also nieder und glitschte mit meiner Hand unter ihren Rock. Die Quelle im Myrthenhain schäumte. Sie leckte die Lippen, als mein Finger das Innere berührte, atmete sehr schwer, und ihre Augen waren voller Begier.

Ich machte mich fertig und stellte meinen Amor an den Eingang des Tempels der Wollust. Ihre Drüsen waren so angelaufen, daß ich Gewalt anwenden mußte, um einzudringen. Mit wollüstigem Girren empfing sie den lieben Gast und hüpfte vor Freude so unter mir, daß sie in einigen Momenten den Wollustbecher verschüttete. Es war, als ob es ihr das Herz abstoßen wollte, ihre Milchhügel glichen stürmenden Wellen.

In einem fort stöhnte sie, bald hielt sie den Opferaltar wieder ganz hoch, bewegte sich heftiger und immer heftiger, und als ich spendete, da brach ein reißender Strom aus ihrer Quelle, der den ganzen Myrthenhain überschwemmte.

Vergnügt kehrten wir wieder zur Gesellschaft zurück, und erst um zwei Uhr trennten wir uns.

## Achtzehntes Kapitel
# Toilettenbesuch

Am anderen Morgen machte ich der Duchesse meine Aufwartung. Sie war für niemand zu Hause als für mich. Ich traf sie noch im Bett. Inbrünstig umhalste sie mich und küßte mich.

»Sind Sie sicher vor Überfall, Göttin der Liebe?«

»Niemand kommt ohne meinen Befehl.«

Ich entkleidete mich, zog ihr das Hemd ab und befühlte ihren schönen Körper. Sie wurde so begierig, daß ihre Augen sich trübten und die Lefzen ihrer Muschel zitterten.

Ich führte meinen Amor in das Heiligtum; mit lautem Jubel schlang sie ihre Beine um mich und bewegte sich so stark, daß ihre Quelle schon überfloß, ehe sie noch fühlte, daß ich den Grund gefaßt hatte.

Als sie dann ruhig wurde, verdoppelte ich meine Bewegungen, sie war ganz Wollustgefühl. Ich brachte meine Hände unter ihre fleischigen Hinterbacken und spielte an der Spalte; dadurch wurde ihr Wonnegefühl noch bedeutend gesteigert, sie war ganz außer sich, bebte an allen Teilen ihres Körpers, und ihr Atemholen war zitterndes Seufzen. Wollüstiger Duft umgab uns. Sobald ich die Wollustschale auf ihren Altar goß, verlor sie alle Bewegung; nur im Innern des Heiligtums, wo eine sprudelnde Quelle sich öffnete, fühlte ich Leben.

Mein Vergnügen war groß; allein das fast zermalmende wonnige Gefühl der Vereinigung mit meiner

Marquise, welches jeden Nerv so wohltätig erschütterte, fehlte ganz. Die Duchesse war zu wollüstig und zu feurig, als daß sie gleiches Vergnügen mitteilen konnte. Nach kurzer Erholung forderte sie immer wieder zu neuem Kampf auf; ihr Reiz wußte von keiner Ermüdung.

Mit Freuden kehrte ich zu meiner Marquise zurück und fand in ihren Umarmungen Erholung.

## Neunzehntes Kapitel

# Ein Göttermahl

Einer meiner besten Freunde war der Marquis R. Durch ihn machte ich viele Bekanntschaften und verschiedene sehr schöne Eroberungen, die ich aber nicht einzeln erzählen will, weil ich mich wiederholen würde. Eine Bemerkung im allgemeinen, die gewiß richtig ist, will ich hier machen, daß nämlich die französischen Damen durchaus einen feineren, niedlicheren und zur Wollust besser gebauten Körper besitzen und daß sie jeden ihrer Reize in das vorteilhafteste Licht zu setzen und den Genuß weit mehr zu verfeinern wissen als die deutschen Frauen.

Ich will nun von einem vorzüglichen Abendmahl erzählen, wozu der Marquis mich und noch zwei Bekannte in sein petite maison einlud.

Er führte uns in einen erleuchteten Saal, der mit feinen Teppichen und langen Polstern belegt war. Im Nebenzimmer hörten wir eine harmonische Musik. Wir tranken einige Gläser Wein, und er nötigte uns in ein anderes Zimmer, wo wir uns ganz entkleideten und bloß Dominos anlegen mußten. Darauf gingen wir wieder in den Saal und lagerten uns auf den Teppichen.

Sechs nackende Mädchen mit Blumenkränzen trugen in Körben ausgesuchte Leckereien auf. Wir aßen und tranken und scherzten unter der angenehmsten Musik. Darauf sangen die Mädchen das Lob der Liebe und der Gefühle und der Wollust und standen auf zum pantomimischen Tanz.

Nie sah ich etwas Reizenderes und Wollüstigeres in solchen Abwechslungen.

Nach beendigtem Tanz lagerten sich die Mädchen in einem Kreis, wir warfen unsere Dominos ab und mischten uns unter sie.

Meine Feder ist zu stumpf, die nun folgenden wollüstigen Spielereien zu beschreiben.

Wie Saturn buhlten zwei um ein Mädchen, dessen ganzer Körper Wollust schien. Sie floh und ward verfolgt, stürzte über ein Polster, und der eine war behend genug, sie gleich zu fassen, und als ihr Hintern erhoben war, seinen Amor sogleich in die Wollustgrotte einzuführen. Der andere, der dadurch verdrängt wurde, fiel gierig über die nächste Nymphe her und opferte auf platter Erde.

Mein Wirt wollte bersten vor Lachen und fragte, ob ich nichts für meine Begierde fände.

Ich hatte mich gleich anfangs an ein Mädchen geschmiegt, die mich durch ihr sanftes Wesen angezogen hatte, und als er sah, daß sie mich umschlang, so nahm auch er sein Mädchen und legte sie in Positur. Kaum begannen wir den Kampf, als die beiden anderen Mädchen bald über diesen, bald über jenen herfielen, ihn loszureißen suchten oder seine Hinterbacken ziemlich unsanft klopften. Besonders eine war überaus mutwillig. Meine Nymphe war sehr reizbar und leerte gleich anfangs den Wollustbecher, und als mich jene Mutwillige empfindlich schlug, sprang ich auf, erhaschte sie und streckte sie unter mich. Ihr Eingang in den Wollusttempel war etwas sehr eng für meinen Amor, und ich war zu eifrig bei meinem Angriff, daher das gute Ding erbärmlich zu schreien anfing. Dieses gab Anlaß zu neuem Gelächter. Indes war sie am Ende außerordentlich zufrieden mit mir.

Meine Leser mögen sich hinzudenken, soviel sie wollen. Mir war die Wollust zu ausschweifend, und ich schließe somit mein Kapitel.

## Zwanzigstes Kapitel
## Ich bin in London

Ich war fast drei Monate schon in London und hatte unter allen meinen Bekanntschaften noch keine Engländerin besiegt. Mein Ehrgeiz war beleidigt, ich verdoppelte meine Angriffe, allein der ruhige, ernste Blick und das kalte, steife Betragen hielten mich immer wieder zurück.

Ein schönes englisches Frauenzimmer reißt zur Bewunderung hin, allein sie läßt das Herz von jenen süßen, lockenden Gefühlen leer. Mein unbefriedigtes Temperament machte mich mißlaunig, ich klagte es meinem Freund.

»Dem ist abzuhelfen«, sagte er, »wir wollen nach … zum … fahren und eine Bestellung machen, und wenn wir wollen, können wir morgen Abend mit Personen vom ersten Rang speisen und divertieren, es kommt nur darauf an, wie hoch wir die Taxe setzen.«

»Wie verstehen Sie das?«

»Wir bestellen ein Abendessen entweder für zwanzig Pfund und haben eine Dame niedrigen Standes, oder hundert Pfund, und unsere Gesellschafterin ist schon ziemlich hohen Standes.«

Der Vorschlag wurde angenommen, und wir fanden uns am folgenden Abend ein. Für zwei herrliche Dämchen von schönem, graziösem Aussehen war bestens gesorgt. Wir aßen und tranken, gingen dann in ein Kabinett, um in Wollust zu schwelgen.

Ich vergeudete alle möglichen Liebesspiele; sie erwiderte dieselben zwar auch, aber es fehlten ihr die französischen Manieren dabei. Nun entkleidete ich sie und fand den herrlichsten Körperbau. Nach und nach wurde sie warm, ich legte sie aufs Bett und mich darüber und führte Gott Amor in den Tempel der Wollust. Ich bewegte mich, sie lag still; ich küßte sie oft und viel und bat, meine Bewegungen zu erwidern; allein sie verstand es nicht. Wir leerten endlich den Wollustbecher, jedoch ohne jeden hohen, begeisterten Taumel, der so unbeschreiblich beseligt. Meine Donna äußerte ihre Zufriedenheit, indem sie sich bei der folgenden Umarmung viel feuriger benahm und gefühlvoller wurde. Allein es fehlte immer noch viel an jenem wonnigen Hinschmachten.

Meine Dame bat mich um meinen Namen und meine Wohnung, bevor wir wieder in den Speisesaal gingen. Wir amüsierten uns noch ein Stündchen mit allerlei Scherzen und gingen dann auseinander. Eine Mistreß Glaßer ließ sich nach einiger Zeit meine Höflichkeiten gefallen und erlaubte mir einige Zusammenkünfte. Ich würde Unrecht tun, wenn ich nicht gestände, daß ich außerordentliches Vergnügen in ihren Armen genossen hätte, ungeachtet ich es nie von ihr erlangen könnte, daß sie ihren schönen Körper meinen Augen nackend präsentierte. Sie liebte stark, feurig und innig. Ich gab ihr dadurch, daß sie mich mit der Lady B. fahren sah, Veranlassung, unser reelles Verhältnis abzubrechen.

Eines Tages, als ich eben ausfahren wollte, überbrachte ein Diener mir ein niedliches Briefchen.

Ich öffnete es und las:

»Lieber Freund! Sie werden mich verbinden, wenn

Sie heute vor meinem Hotel in der Leipziger Straße beim Ausfahren halten. Es erwartet Sie gegen vier Uhr Ihre Betty B.«

»Von wem, guter Freund?«

»Von My Lady B.«

›Lady B.‹, dachte ich. ›Unter allen meinen Bekannten ist kein ähnlicher Name.‹

Ich fuhr vor, wurde in ein schönes Zimmer geführt, und bald darauf trat aus einer Seitentür Lady B.

Ich erkannte meine Schöne und staunte.

Sie bemerkte es und versicherte mir sehr artig, daß eine unwiderstehliche Neigung zu mir sie bewogen hätte, sich mir zu erkennen zu geben. Ich zog sie aufs Sofa und bot alle nur erdenklichen Mittel auf, um sie recht feurig zu machen. Sie führte mich in ein Schlafgemach, ich kleidete sie aus und rieb mit einem wollenen Tuch ihre Hinterbacken so lang, bis sie ganz rot waren. Die Lefzen ihrer sehr schönen Muschel waren ganz aufgelaufen, ihr Busen wallte, ihre Lippen bebten, und ihr Auge verdunkelte sich.

Sie gestand, daß sie noch nie ein so zehrendes Feuer in dem Innern ihrer Wollusthöhle gefühlt hätte, und als ich sie hinlegte und meinen Amor einführte, war auf einmal Bewegung in ihren Lenden, um die ich damals vergeblich gebeten hatte. Mein Vergnügen wurde durch das ihrige vermehrt. Mit wahrem Entzücken taumelten wir in die Arme der wohltätigsten Wollust.

Auch Lady B. liebte feurig, hinreißend. Es ist etwas Angenehmes, eine Engländerin zu sehen, welche verliebt ist. Der große und edle Anstrich, den sie ihrer Neigung zu geben weiß, oder vielmehr, den ihr die Natur und der Nationalismus gibt, hat etwas von Ehrfurchterregendem an sich. Wenn du der Französin in die Arme fallen möchtest, so wünschst du, vor der Engländerin zu knien. Sie gibt sich ungeteilt ganz und gar nicht und opfert sich eher selbst auf, ehe sie den Liebhaber ferner beglücken sollte, von dessen Untreue sie überzeugt ist. Und ist sie ihrer Sache gewiß, so ist die einzige Strafe Verachtung; selten läßt sich die Engländerin zur Rachsucht hinreißen. Auch ist ihre Seele zu erhaben, als daß Argwohn und Verdacht sie gleich beunruhigen sollten; sie wird bloß aufmerksam, untersucht und handelt nach Befund der Tatsache. Man hat mir zwar versichert, daß eine ausschweifende Engländerin alles überträfe, was sich denken ließe; allein ich habe dies gerade nicht gefunden. Längere Zeit besuchte ich ein Frauenzimmer, ein Freudenmädchen, von der ich versichern kann, daß die keuscheste deutsche Frau sich nicht anständiger, edler betragen könnte. Man fand auch bei ihr beständig die ausgesuchteste Gesellschaft. Sie belebte durch Geschmack, Ton, Witz und Geist die Unterhaltung. Ein jeder, welchem sie bisweilen die höchste Gunst gewährte, schätzte sich glücklich. Man konnte fast sagen, sie beglücke längere Zeit immer nur einen Liebhaber.

Kurz vor meiner Abreise aus London fragte ich sie scherzend, ob ich mich denn nicht in Deutschland rühmen sollte, daß ich in der Umarmung der schönsten Engländerin, die, wenn nicht größeren, doch gleichen Nachruhm verdient wie Lais von Korinth, das höchste Glück der Liebe genossen hatte.

»Sir«, antwortete sie, »wenn Sie Lais kennen wie ich, so werden Sie selbst wissen, daß Sie zuviel gesagt haben. Ich armes Mädchen! Nicht einmal an Zärtlichkeit des Herzens gleiche ich ihr, geschweige denn in den übrigen Eigenschaften. Glauben Sie, Vergnügen bei mir zu finden, so sind Sie für morgen abend eingeladen.«

Ich fand bei ihr den Lord N. und den Esquire E. Attisches Salz war die Würze unserer Mahlzeit. Mistreß Grandham war schön wie eine Gottheit, und man würde eher die stolze, gefühllose Donna Diana als die schmachtende und liebesdurstige Venus in ihr gesucht haben.

Die Herren empfahlen sich, und meine Mistreß führte mich in die der Liebe geweihten Hallen: ein Zimmer, wo einem Wollust und nur immer Wollust entgegenhauchte und alles, was man erblickte, Wollust erregte. Bald stand sie da wie die Venus, welche sich den Wellen entwandt. Mit staunendem Entzükken betrachtete ich sie, schloß sie in meine Arme, fand in ihr das zur Liebe geschaffene weibliche Wesen und genoß alles, was irdische Wesen bei der innigsten Vereinigung nur genießen können.

## Einundzwanzigstes Kapitel
# Ein kleines Anekdötchen

Ich glaube nicht, daß ich meinen Lesern zu geschwind gehe. Mein Pinsel ist etwas stumpf geworden, und ich finde, daß ich die Farbenmischung nicht genug verstehe, um meinen Gemälden durchweg Verschiedenheit zu geben.

Ich bin jetzt auf der Reise nach Italien und werde daselbst ebenso kurz, vielleicht noch kürzer sein als in England. Zunächst ein kleines Anekdötchen aus Rom.

In meiner Wohnung hatte ich ein herrliches Frauenbild gesehen, das alles in sich vereinigte, was zu einer schönen Römerin gehört. Eines Abends, als ich bereits im Bett lag und meine Gedanken mit dem Schönen und Erhabenen Roms beschäftigt waren, vernahm ich plötzlich einen ungeheuren Lärm im Haus, ich sprang aus dem Bett, öffnete die Tür und – ein halbtotes Mädchen stürzte mir in die Arme. Schnell schloß ich die Tür wieder und legte die ohnmächtige Schöne auf mein Bett. Nun zog ich mich an, setzte mich in guten Verteidigungszustand und eilte, die Tür wieder verschließend, die Treppe hinunter

»Sie ist doch entkommen«, sagte der Wirt, »Ihre Mühe ist vergebens.«

Mit funkelnden Augen faßte mich ein junger Mann beim Arm.

»Schaffen Sie mir sofort meine Schwester, oder –!«

Der Lärm begann noch einmal, doch konnte ich aus der ganzen Geschichte nicht klug werden. Plötzlich trat jemand herzu, der dem Wütenden etwas ins Ohr flüsterte, worauf sich alle in größter Eile entfernten.

Ich bat den Wirt um Auskunft.

»Ein junges Mädchen, welches seit einigen Tagen hier wohnt, wurde, ich weiß nicht weshalb, von ihnen verfolgt. Sie scheint jedoch entkommen zu sein.«

Ich eilte auf mein Zimmer. Das Mädel hatte sich erholt, doch Todesblässe überzog ihr Gesicht, als sie mich bewaffnet sah.

»Ruhig, meine Schöne«, sagte ich, »Sie sind ja in Sicherheit; nun fordern Sie, was ich tun soll.«

Sie erzählte mir, daß sie die Tochter eines Kaufmanns aus Florenz sei und beim Nachhausegehen aus dem Theater entführt worden wäre, jedoch wieder glücklich entkommen, aber zu ihrem Schreck von neuem entdeckt worden sei.

»Und wer ist der Räuber?«

»Der Marchese S.«

Ein sonderbarer Handel, der mich in Italien leicht in Lebensgefahr bringen konnte. Indessen war ich entschlossen, die Tochter ihren Eltern zuzuführen.

»Allein, schönes Mädchen, Sie sind nun in sicheren Händen, doch weiß ich nicht, ob es gut ist, wenn Sie sich in diesem Haus zeigen.«

»Retten Sie mich, auf welche Weise es auch sei!«

»Das will ich gern. Aber, liebes Mädchen, du hast Erholung nötig, und ich habe nur ein Bett.«

»Es sind doch Stühle da.«

»Nicht doch, ich werde dich auch im Bett beschützen.«

Ich küßte sie; sie schlug verschämt die Augen nieder.

»Es war unvorsichtig, mein Herr, bei Ihnen meine

Zuflucht zu nehmen – allem schon gestern hatte ich beschlossen, mich Ihnen zu entdecken, weil Ihre Erscheinung mir Zutrauen einflößte. Habe ich mich in Ihnen geirrt?«

»Nein, meine Schöne. Wenn ich dir aber sage, daß ich dich vom ersten Augenblick an, als ich dich sah, liebte, was antwortest du mir darauf?«

(Achselzuckend:) »Ich bin in Ihrer Gewalt.«

»Das nicht, liebe, holde Grazie – frage dein Herz. Dein Wille muß frei von dir sein, ob du mich in deinen Armen beglücken willst. Wenn nicht, so schwöre ich dir, daß ich dich, außer einem leichten Kuß nicht berühren will.«

»Könnten Sie das? Ich meine, Sie wären ein Engel.«

Ich versprach's ihr, und sie legte sich nach langem Zureden ins Bett. Ich half ihr, sich zu entkleiden und versicherte, daß es ein harter Stand war, mich so vielen Reizen nahe zu wissen, ohne sie zu genießen.

Ich machte mir ein Lager von Kleidungsstücken und Wäsche auf der Erde, deckte mich mit meinem Mantel zu und schlief sehr bald und ruhig ein.

Es war schon hoher Tag, als ich erwachte. Ich ging in die Kammer und trat vors Bett. Welch ein herrlicher Anblick! – Noch schwebte leichter Schlummer auf ihrem Engelsgesicht. Wie ein Wölkchen am heiteren Himmel erblickte man Kummer in ihren Zügen. Lockig umwallte schwarzes Haar die weiße Stirn, den fleischigen Hals und die runden Schultern. Ihr schöner voller Busen, weißer als gefallener Schnee, hob sich langsam und schwer; erstickte Seufzer drängten sich halb hervor; und ihr runder, schöner Arm, der lässig über der Decke lag, zuckte bisweilen.

Aus Furcht, ihr die erquickende Ruhe zu rauben, enthielt ich mich, ihren schönen Rosenmund zu küssen, so reizend er auch war. Leise setzte ich mich zu ihr und weidete mich an ihrer bezaubernden Schönheit.

Sie erwachte, und das schönste Rosenrot überzog ihr Gesicht, als sie mich erblickte. Ihr schönes, schwarzes Auge glänzte vor Vergnügen. Ich ergriff ihre Hand und küßte den wonnigen Mund. Schauer durchfuhr alle meine Glieder, als ich den Kuß erwidert fühlte.

»Großmütiger Mann, wie unruhig legte ich mich nieder, und wie ruhig erwach ich wieder!«

»Und was ich vermag, werd' ich anwenden, daß Sie jeden Tag so ruhig erwachen.«

Nach langem Bitten erlaubte sie mir das Vergnügen, bei ihrem Ankleiden gegenwärtig zu sein und nahm meine Hilfeleistung sehr artig an.

Nun ward beschlossen, daß sie in Manneskleidern nach Florenz reisen sollte, und mit Hilfe meines Bedienten waren die Kleidungsstücke bald in Ordnung, und schon den folgenden Tag reisten wir ab. Ich bin nie vergnügter gereist als in der Gesellschaft dieses Signors. Ein wahrer Adonis, den ich nicht genug umarmen und küssen konnte.

Als wir in Florenz ankamen, ging ich gleich zu Signor Battioli, ihrem Vater. Ich traf das Haus noch in voller Betrübnis über den Verlust der Tochter. Nach einigen Erdichtungen drang ich mehr in ihr Geheimnis, und ganz wie von ungefähr sagte ich, daß ich einen jungen Italiener in Dienst genommen, der mir entfernt so etwas von der Entführung eines jungen Frauenzimmers erzählt hatte.

Man drang in mich, den Bedienten herzusenden. Ich schrieb sogleich ein paar Zeilen, sandte hin, und mein schöner Reisegefährte kam. Allein er war zu schwach, die Rolle zu spielen, die ich ihm aufgetragen hatte, so wie er eintrat, sank er seiner Mutter in die Arme.

## Zweiundzwanzigstes Kapitel
## Alles in eins

Nach meinen Beobachtungen habe ich die Italienerinnen ziemlich schlüpfrig gefunden. Ihr Temperament ist warm, feurig und sehr oft unersättlich. Ihr ganzer Körper ist zur Wollust gebaut, und gewiß in ganz Europa wird in diesem Punkt nicht so ausgeschweift. Eroberungen zu machen hat keine Schwierigkeit, mehr aber, ihnen zu genügen, und es gehört viel Behutsamkeit dazu, eine gemachte Bekanntschaft aufzuheben, wenn man nicht üble Folgen erfahren will.

Die Battiolis hielten mich lange in Florenz auf und bezeugten mir die größte Höflichkeit. Der Alte hatte bisher seine Einwilligung zur Verheiratung seiner Tochter nicht geben wollen, das Wiederfinden brachte ihn wie von selbst dahin. Ich war bei der Hochzeit, und der junge Vargendo erdrückte mich fast den anderen Morgen unter tausend Danksagungen und Lobeserhebungen, daß er durch mich seine Braut noch mit dem Jungfernkränzchen erhalten hatte.

Nach einigen Tagen kam die neuvermählte Vargendo des Nachmittags in mein Zimmer. Sie war schön wie die Morgenröte und in ein leichtes weißes Kleid gehüllt.

»Wie freue ich mich Ihres Besuches, schöne Vargendo!«

»Ich komme, Ihnen zu danken; ich verdiene Vorwürfe, allein vergeben Sie mir!«

»Liebe Holde, warum Vorwürfe?«

»Mein Mann hat Ihnen gedankt. Ich muß Ihnen sagen,

daß er Sie für einen Halbgott hält, weil Sie mich so unberührt seinen Händen überliefert haben. Mit Argwohn bestieg er das Brautbett und –«

»Warum stocken Sie, Liebe?«

»Mein Mann hat nicht Unrecht, wenn er sagt, ich möchte ihm kein Frauenzimmer anvertrauen.«

»Vielleicht doch!«

»Nicht vielleicht! Jetzt möchte ich nicht mehr mit Ihnen reisen!«

»Und warum?«

»Weil ich Ihnen die Standhaftigkeit nicht mehr zutraue.«

»Wie fallen Sie auf den Zweifel?«

»Ganz natürlich, weil ich mich nicht so zwingen dürfte, Ihre Artigkeiten mit Kälte anzunehmen, und weil Sie sie dann verdoppeln würden.«

»Unvergeßbare Vargendo!«

Ich schloß sie in meine Arme – und küßte sie brünstig.

Sie erwiderte jeden Kuß mit Feuer.

»Ja freilich, Liebe! Auf diese Weise möchte mir wohl Enthaltsamkeit schwerfallen!«

»Nicht wahr? – Lieber H., ich liebe Sie und würde schon längst Ihre Gefühle erwidert haben, wenn ich nicht meinen Bräutigam – Sie verstehen doch?«

»Und wenn ich jetzt bitte, meine Liebe zu erwidern – die mich –«

»Ich würde nicht verdienen, daß Sie mich in Schutz genommen hätten.«

Ich zog sie aufs Sofa und meine Hand glitschte ungehindert bis ans Heiligtum der Liebe, das Wollust zu hauchen schien.

Wir leerten dreimal mit gleich großem Entzücken den Becher der Wollust, und ich versichere, daß er nie mein Wesen in so wonnigen Taumel versetzt hatte.

Was eine wollüstige Italienerin sei, davon erlangte ich auch bei Signora Dievelli einen Begriff. Ich ward durch ein altes Mütterchen um die Mitternachtsstunde abgeholt und – der Himmel weiß durch wieviel dunkle Gänge und Treppen – in ein prächtiges Zimmer gebracht. Eine maskierte Dame in langem Gewand erschien endlich, setzte sich zu mir und sprach viel von dem, was sie wage und was ich wagen würde, wenn ich nicht schweigen könnte. Indessen aus Liebe zu mir würde sie sich nicht eher demaskieren, bis ich ihr nicht die stärksten Versicherungen von meiner Verschwiegenheit gegeben hätte, weil sie mich zu leidenschaftlich liebte und sich lieber in ihrem Feuer verzehren, als mich in eigener Gefahr wissen wollte.

Ich war einmal hier, warum sollt' ich ihr nicht alle möglichen Versicherungen geben?!

Das lange Kleid und die Maske fielen ab, und eine glänzende Schönheit stand vor meinen Augen. Die Überraschung machte mich stumm – und unbeweglich stand ich da, als sie ihren Arm um meinen Nacken schlang und den wollüstigsten Kuß auf meine Lippen drückte. Ich umfaßte ihren schönen Körper und fühlte die wollüstigste Erschütterung.

Ich kleidete endlich meine Donna ganz aus. Bewunderungsvolles Staunen übermannte mich: Noch bei weitem war das der schönste weibliche Körper, den ich je sah. Mein Gefühl ruhte auf ihrem wallenden Busen. Sie spielte an meinen Haaren und küßte meine Stirn. Wollüstig war ihr Hauch, wollüstig jede Bewegung, jeder Muskel hüpfte mir wollüstig entgegen. Wir streckten uns endlich auf das weiche Lager; in schwebender Bewegung hielt sie mich, noch eh' mein Amor den Eingang der Grotte berührte. Fest schloß sie mich in ihre Arme, stöhnte und seufzte, und wollüstig brachen ihre Augen, als sie den Gott der Liebe empfand. Mit frohlockendem Hüpfen empfing sie ihn, ihren ganzen Körper überzog leichtes Rosenrot, und als sie die Annäherung zum Opfer spürte, stützte sie sich auf die Hände und Füße und hielt mich schwebend, Amor goß die Schale aus, leises Girren ertönte aus ihrer Brust, ihre Bewegungen wurden konvulsivisch, und in reißenden Strömen öffnete sich ihre Wollustquelle.

Nach einiger Erholung standen wir auf und nahmen Erfrischungen zu uns. Ich konnte ihren schönen Körper nicht genug betrachten, befühlen und küssen. Sie erwiderte jede Liebkosung mit außerordentlichem Wollustgefühl. Ich saß auf einem Stuhl, sie stand neben mir; ich spielte am Venushügel und in dem niedlichen Myrthenhain. Die beiden Ufer des Wollustbaches waren erhaben, und glänzendes Rosenrot faßte sie ein. Gott Hymen stand schmachtend am Eingang der Quelle.

Meine Signora schlang ihre Arme um meinen Nakken, küßte mich, sog an meinen Lippen, und ehe ich mich's versah, saß sie auf meinem Schoß und drückte ihren schäumenden Busen an meine Brust. Ich hob mich, und mein Amor machte Hymen einen Besuch. Kaum spürte sie das, so fing sie an, sich heftig hin und her zu bewegen. Ihre vollen Milchhügel hüpften wie junge Lämmer, sie stöhnte, zitterte, schloß die Augen und sank matt auf mein Gesicht herab.

»Oh – ich kann nicht mehr!«

Und ein rascher Strom floß aus ihrer Quelle. Ich erhob mich mit Mühe, trug sie aufs Bett, bestieg den Liebesthron, führte meinen Amor in die Grotte, legte ihre Beine über meinen Hintern, schob meine Hände unter den ihrigen, spielte an ihrer Spalte und begann somit den Kampf mit allem Feuer.

Meine allerliebste Signora schloß die Augen, ihr Atem verwandelte sich in ein girrendes Seufzen, und als ich den Wollustbecher ausgoß, stieg angenehmer Duft aus ihrem ganzen Körper, der mich berauschte.

Mit immer gleichem Vergnügen genossen wir noch viermal die innigste Vereinigung, das höchste Glück der irdischen Wesen, ehe wir uns in die Regionen des Gottes Morpheus versetzen ließen. Wir schienen nach jedem erneuten Streit nicht die Kräfte zu verlieren, sondern immer neue zu erhalten. Nur das brennende Feuer wurde bedeutend gedämpft.

Mein ganzer Aufenthalt verstrich nur sehr angenehm durch den Umgang mit dieser reizenden Frau, und wir waren fast nie an einem Ort beisammen, ohne der Göttin der Liebe ein Opfer gebracht zu haben. Sie wurde sehr leicht warm, und war der Ort auch nicht der bequemste, so wußte sie doch immer eine Stellung oder Lage anzunehmen, wodurch dem Vergnügen nichts entging. Einst waren wir im Theater. Der Inhalt des Stükkes hatte ihre Einbildungskraft erhitzt. Ich saß neben ihr, bemerkte ihren wallenden Busen und glitschte mit meiner Hand unter ihren Rock. Sie stand auf und machte meiner wollüstigen Hand ganz freie Bahn. Als der Akt zu Ende war und die Musik begann, zog sie die Vorhänge der Loge zu, lehnte sich mit dem Rücken an, stützte ein Bein auf einen Stuhl, und wir brachten, von der Musik begleitet, der Liebe ein herrliches Opfer.

Alle kleinen Begebenheiten und Zufälle will ich unberührt lassen, es möchte am Ende meinen Lesern zu langweilig werden, wenn ich Ihnen alles von Venedig, Neapel und Rom erzählen wollte. Alle Bekanntschaften waren von kurzer Dauer und meistens ähnlicher Natur. Soviel noch: Das Klima oder das wollüstige Temperament des weiblichen Geschlechts der heißen Zone müssen wohl dazu beitragen, daß, je öfter man den Wollustnektar genießt, um so mehr Reiz und Kraft sich entwickeln; Erschlaffung wie im Norden ist unbekannt.

# Viertes Buch

## Erstes Kapitel
## Übersicht einiger Jahre

Ich kam nach Blassenheim zurück und fand meinen Vater daselbst. Die Freude des Wiedersehens war unbeschreiblich groß. Ich zeigte ihm den Entwurf, wie ich meinen künftigen Wohnsitz verschönern wollte; er pflichtete meiner Idee bei. Balthasar übertrug ich die Ausführung und besuchte nun Madame Glossen, bei der ich die nächsten acht Tage vergnügt verbrachte. Sie war immer noch die liebenswürdige Frau.

Ich besuchte darauf einige deutsche Höfe und habe mancher Dame die Hand geküßt. Allein lange fand ich keine Neigung, mich näher mit ihnen bekanntzumachen. Wenn ich auch bisweilen mich in die Arme einer Dame verirrte, so war der Trieb mehr Ursache als die Liebe und das Vergnügen ohne Würze.

Ein artiges Abenteuer hatte ich bei meiner Durchreise durch B. Ich wohnte in der dritten Etage des Hotels. Vor dem Schlafengehen bekam ich noch Lust, einen kleinen Spaziergang zu machen, und beim Zurückgehen in Gedanken versunken, verfehlte ich mein Zimmer. Ohne den Irrtum zu bemerken, löschte ich das Licht und ging zu Bett. Nachdem ich längere Zeit gelegen, hörte ich einen Wagen vorfahren, und bald darauf erstieg es die Treppen, schloß die Tür auf, und zwei fein gekleidete junge Damen traten mit einem jungen Kammermädchen ein. –

Die Bettgardinen waren zugezogen, und mein Nachtrock lag auf dem Bett. Ich verhielt mich ruhig und war voller Erwartung. Das Kammermädchen war beschäftigt, die Damen auszukleiden, und ich hörte, daß es gnädige Fräuleins waren, die einen Onkel besuchen wollten, ihn aber nicht getroffen hatten.

›Wie soll das ablaufen?‹ Gern hätte ich mich entdeckt, aber wie, um nicht den armen Kindern einen Schreck einzujagen? Die Jungfer holte den Tee, und ich war mit ihnen allein.

»Liebes Julchen, der Major gefiel mir; sein mannbares, energisches Gesicht – Ich muß gestehen, es wurde mir ganz eng um die Brust, als er mir die Hand küßte.«

»Es ist ein ganz artiger Mann; aber Bäschen, der Hauptmann mit der ungeheuren Habichtnase – seine Augen, hast du wohl bemerkt, wie feurig sie waren?«

Eine Menge wurde gemustert und Röschen, nachdem sie den Tee gebracht, zu Bett geschickt. Nun spazierten sie Arm in Arm durch die Stube und erzählten sich von der Wirkung, die dies oder jenes Mannsbild auf sie gemacht. Auch wurden die dicken, runden, wohlgenährten Schenkel wohl in Erwägung gezogen.

Endlich entkleideten sich die gnädigen Fräuleins ganz; meine Augen hatten ein interessantes Schauspiel. Sie umarmten sich, küßten sich, drückten ihre niedlichen Milchhügel, rieben sich aneinander, spielten im Myrthenhain und in der Wollustgrotte. Küsse, mit Seufzern untermischt, schallten durchs Zimmer, und schmachtend drückten sie abermals Busen an Busen. Mir ward warm bei dieser Szene. Sie sanken aufs Kanapee, sanken aufeinander, hatten ihre Finger eine in der anderen Wollustgrotte, bewegten sich und blieben endlich stumm und unbeweglich liegen. Ich hob meinen Kopf und die Bettgardine rasselte. Sie horchten auf. Entdekken mußte ich mich endlich; ich bewegte mich also stärker. Vor Schrecken starr, richteten sie sich auf und blickten nach dem Bett. Ich warf mein Hemd ab und erschien.

Zugleich ein lauter Schrei, und sie lagen in Ohnmacht.

Ich gab mir alle mögliche Mühe, sie wieder zu sich zu bringen. Julie schlug zuerst die Augen auf. »Verzeihung gnädiges Fräulein, ein glücklicher Irrtum hat mich in Ihr offenes Zimmer geführt.« Sie schloß die Augen, und Blutröte überzog ihr Gesicht.

»Verlassen Sie uns, mein Herr!«

»Das wäre zu grausam, gnädiges Fräulein!«

Das Bäschen erholte sich auch, und als sie sah, daß ich Julchen umarmt hielt, floh sie ins Bett. Beide bestanden darauf, daß ich mich entfernen sollte. Julie wollte sich meinen Armen entwinden; ich trug sie ins Bett, und nach einigem Sträuben lag ich mittendrin und hatte in jedem Arm ein munteres frisches Mädchen, welches nach und nach meine Küsse und Tändeleien zu erwidern anfing.

»Angenehm sind die Spielereien der Liebe, meine schönen Nymphen, aber unzureichend; denn sie verlangt höheren Genuß. Vergleichen Sie sich; wer heut das erste Opfer erhält, erhält morgen das zweite.«

Beide verneinten alles, und beide näherten sich mir doch immer mehr und mehr. Ich stand auf, suchte Papier, riß zwei Streifen, einen länger als den anderen.

»Ziehen Sie, meine Schönen, der längste Streifen hat den Vorrang.«

Das Bäschen zog ihn und wollte ihn Julien aufdringen. Es war ein fleischiges, wohlgenährtes Mädchen, und ohne widerstand ließ sie mich Besitz vom Thron der Liebe nehmen. Julie ward rot, und Eifersucht leuchtete aus ihren Augen.

Ich ließ das Bäschen die Beine anziehen, führte meinen Amor in die Grotte und spielte mit meinem Finger in Juliens Wollusttempel.

Des Bäschens Augen glänzten vor Vergnügen, und bald ward ihr Atem zitternd, und leises Stöhnen entstieg ihrer sich hebenden Brust. Die Wollust schien sich Julien mitzuteilen; auch ihr Atem ward stockend, und ihr Schoß bewegte sich heftig unter meiner Hand, die sie ganz festhielt, damit sie nicht aus der Richtung kommen sollte.

Mein Amor leerte die Wollustschale, und das gute Bäschen war ganz Leben unter mir, und er hatte noch nicht vollendet, als schäumend der Wollustnektar aus ihrer Quelle hervorquoll und sie in Wonnetaumel verfiel.

Ich wandte mich jetzt zu Julchen; das arme Kind brannte wie Feuer. Sie küßte mich, sog an meinen Lippen unaufhörlich und preßte mich mit aller Gewalt an ihren Busen.

»Nur noch eine kleine Ruhe, meine schöne Julie, so hoffe ich, Sie sollen befriedigt werden.«

Sie spielte mit meinem Amor, streichelte seine Flügel, und er hob sich. Ihr ganzes Gesicht verriet die heftigste Begierde, und wütend führte sie ihn selbst in die Grotte, die mehr entzündet als liebeswarm zu sein schien. Sie bewegte sich heftig, und unter lautem Stöhnen, das sich nach und nach in leises Girren verwandelte, floß ihr Liebespokal über.

Jetzt führte ich meine Hände unter ihre Hinterbakken, hielt sie fest und genoß ungemein viele Wollust, die die heftigen Zuckungen in ihrer Wollusthöhle noch vermehrten.

Das Bäschen betrachtete den Kampf mit verschlingenden Blicken, hob sich endlich, stieg über mich und gab meinen Bewegungen Nachdruck. Julie seufzte unter ihrer Bürde, und nun brachte ich, mit außerordentlichem Wollustgefühl, der Liebe ein reichliches Opfer. Sobald Julchen es verspürte, brach auch ihre Quelle wieder hervor, dann verfiel sie in ein ohnmächtiges Hinbrüten. Das Bäschen legte mich auf den Rücken, streckte sich über mich und hauchte mir mit wollüstigen Küssen neues Leben ein.

Es waren zwei wollüstige Mädchen, und ich wüßte nicht, welcher ich den Vorzug gegeben hätte. Die Hauptstadt des Wollustreiches war bei beiden schön, noch nicht entweiht durch Mißbrauch und an Reizen und Kunstschätzen gleich reich.

Die Liebkosungen des teuren Bäschens weckten meinen schlafenden Amor bald wieder auf, und schon hatte sie ihn in den Tempel der Liebe gelockt. Allein die liebende Seele kannte keine Mäßigung, zu eifrig, zu geschwind bewegte sie sich. Bald schloß sie die Augen, sank auf meinen Mund und badete meinen Amor mit Wollustnektar.

Julchen sah mich verlangend an; ihr schmachtender Blick verriet nur zu sehr, daß sie sich an die Reihe wünschte. Ich fühlte an ihrer Liebesquelle, und sie zuckte. Sollte ich dem Bäschen das Opfer entziehen?

Indem ich es noch überlegte, hatte Julie schon ihre Freundin verdrängt. Sie war noch eifriger wie jene, und binnen einer Minute lag sie kraftlos da.

Nun betrachtete ich mit ungeheurem Vergnügen die beiden schönen, wollüstigen Körper. Die Myrthenhaine waren durch die Überschwemmungen etwas in Unordnung geraten, und Julchens niedliche Rosenspalte schäumte noch.

Ich ließ Julchen endlich auf die Knie und Hände stellen, legte das Bäschen auf ihren Rücken, bestieg den Wollustthron, umschlang mit meinen Armen den niedlichen Körper und fuhr mit der anderen Hand in Juliens Liebestempel.

Es war eine Wollust, die beiden Mädchen ächzen zu hören.

Julchen: »Ach! – Zu schwer!«

Bäschen: »O – o – o – o – oh!«

Julchen: » Ich trag es nicht!«

Bäschen: »Nur noch ein wenig!«

Julchen: »Ich – i – i – ich ersticke!«

Bäschen: »O – o – oh! – Schonen Sie mich!«

Julchen sank nieder, und das Bäschen verlor alle Besinnung, als sie der Liebe wonnigliches Opfer erhielt.

Von beiden Mädchen umarmt, streute Morpheus seine Schlummerkörner über unser Lager, und wir versanken in die sanfteste Ruhe, die erst die hohe Sonne aus unseren Augen trieb. –

Manche schnurrige Anekdote mit jungen und älteren Hofdamen und sonstigen anmutigen Fräuleins und mancherlei Etcetera bleibe ich meinen Lesern schuldig.

Zweites Kapitel

## Kleine Skizzen meines Wohnsitzes

Hinter meinem Schloß ist ein großer Garten, der an einen ziemlich hohen Berg stößt. Der Fuß des Berges ist mit Birken und die Höhe mit Tannen und Fichten bewachsen. Der Berg hat einen Absatz, und eine ziemliche Ebene zieht sich längs desselben hin, ehe er sich steil erhebt.

Abwechselnde Gänge sind um den ganzen Berg gehauen, sie führen zu Ruhebänken und in kühlende Grotten.

Die Quelle ist eingefaßt, und eine Nymphe steigt hinab ins kühlende Bad. Verborgene Röhren saugen das Wasser auf, führen es unter der Erde den Berg hinunter in den Garten. In einem zierlichen Hain von Tannen und Zypressen erhebt sich ein steinernes Gebäude im griechischen Geschmack, das ein Säulengang in ionischer Ordnung umgibt.

Das Innere ist einfach. Der Boden ist mit Strohmatten bedeckt, und weiche Polster laden dich zur Erholung vom ermüdenden Spaziergange ein. Es ist der Tempel stiller Betrachtung. Hinter dem Gebäude siehst du ein grün eingefaßtes Bassin. Hoch strömt in der Mitte ein Springbrunnen in die Höhe und formt einen großen Kranz von Wasserperlen. Rechts in dem Hain liegt ein Flußgott auf einem Krug, aus dem Wasser strömt, das einen kleinen Bach durch den Hain bildet. Links gibt ein anderer aus seinem Krug Wasser in ein abgeplattetes Bassin, das dich zu erfrischendem Bad einladet.

Und von hier siehst du den Waldstrom von der Hälfte des Berges herabstürzen, der sich oben in einem Teich sammelt. Mit Geräusch stürzt er auf Felsspitzen, schäumt und flieht pfeilschnell dahin.

Ein dunkler Weg durch hohe Fichten führt dich auf eine lachende Ebene. Durch Rosenhecken gehst du in einen einfachen Tempel; er ist dem Amor und Hymen geweiht. Heiliges Dunkel im Innern erhöht die Ehrfurcht vor den Göttern, und jeder wollüstige Seufzer hallt doppelt wider.

Durch einen Buchenwald führt dich ein Weg zu einer künstlichen Quelle; du siehst Diana mit ihrem Gefolge im Bad und dort im Gebüsch den lauschenden Aktäon.

Auf welchem Weg du den Berg ersteigst, immer findest du eine Grotte und in derselben entweder Venus und Adonis oder Venus und Äneas oder auch Venus mit dem Kriegsgott in liebevoller Umarmung. Reizt dich, am Arm dieser Geliebten, die Darstellung, so gehst du in die Kapelle, wo ein wollüstiges Polster zum Genuß winkt.

Auch findest du noch im Garten einen Teil der Liebeshändel des Jupiters.

## Drittes Kapitel

# Fernere Einrichtung

So fand ich ungefähr meinen Wohnsitz, der unter meines Freundes Balthasar Aufsicht diese Gestalt gewonnen. Wir haben aber noch viel daran geändert.

Mein Vater zog bald zu mir und starb nach zwei Jahren. In einem dunklen Fichtenwäldchen ist eine Zypressenlaube, dort steht eine Urne mit der Aufschrift: ›Dem besten Vater gewidmet‹. Meine Untertanen wallfahrten noch jetzt alle Sonntage dahin. Nach einigen Jahren setzt' ich ein zweites Denkmal, eine abgebrochene Säule mit der Inschrift: ›Liebe dauert auch jenseits des Grabes‹. Es ist meines Vaters Lilla gewidmet, es deckt die Asche meiner unvergleichlichen Glossen, die gleich nach ihres Mannes Tod zu mir gezogen ist und mir meine geliebte Julie, meine Gemahlin, zubrachte und zum herrlichsten Weib bildete. Gemahlin?

Ja, meine Herren, ich bin glücklicher Gatte und Vater von drei munteren, starken Söhnen und einer Tochter, der an Schönheit sich in der ganzen Gegend umher keine gleichstellt.

Ich kannte Julchen vorher nicht. Die Glossen war längere Zeit in B. gewesen und hatte ihren kranken Gemahl besucht. Bei der Rückkehr kam sie zu mir nach Blassenheim, und als wir bei der Abendunterhaltung auf dem Sofa saßen und die zärtlichsten Küsse wechselten, sagte sie:

»Lieber H., nächstens reisen wir nach B., um für Sie

eine Gemahlin zu holen, welche ich für sie ausgewählt.«

»Eine Gemahlin?«

»Allerdings, lieber H., Sie müssen sich vermählen, Ihre Haushaltung fordert eine Gehilfin. Ich hoffe jedoch, daß Sie mich dadurch nicht ganz vergessen werden.«

»Wie könnte ich an eine Gemahlin denken, solange ich meine Glossen habe?«

»Ich denke, lieber H., Sie haben in mir die vernünftige Frau kennengelernt. Wäre ich auch jetzt frei, gäbe ich alle Ansprüche auf die Stelle Ihrer Gemahlin auf, aber nicht auf Ihre Umarmung. Sie müssen eine junge Gattin haben, ich bin für Sie schon zu alt. Das Geschlecht der H. muß neu aufleben, und Ihre erstgeborene Tochter setze ich zu meiner Erbin ein. Doch darüber läßt sich alsdann noch sprechen. Wenn ich mich aber mit Ihrer Vermählung befassen soll, so müssen Sie mir versprechen, ein gefälliger Ehemann zu sein und im Fall – doch das soll eine Frage sein. Wie würden Sie sich verhalten, wenn Sie bei Ihrer Gemahlin eine geheime Neigung für einen hübschen, jungen Mann bemerkten? Oder wenn Sie der Zufall sogar zu einer Umarmung führte?«

»Welche Fragen, schöne Glossen! Lassen sich dieselben wohl jetzt bestimmt beantworten? Ich glaube, es hängt von den Eindrücken ab, die der betreffende Gegenstand auf uns macht. Und wie wenig können wir etwas mit Bestimmtheit behaupten, solange wir uns noch nicht in der eventuellen Lage befanden.«

(Kopfschüttelnd:) »Das heißt sich sehr gut aus der Schlinge ziehen! Allein, mein lieber H., so haben wir nicht gewettet. Ich verlange Bestimmtheit! Doch noch eine Frage: Glauben Sie, daß wir über unsere Neigungen verfügen können?«

»So lange wir vermeiden, daß sie Nahrung erhalten und sich dadurch vergrößern.«

»Sollten wir aber wohl die Stärke eines Eindrucks vermindern können?«

»Je nachdem es der Fall ist.«

»Nein, lieber H., je nachdem der Eindruck ist. Machte etwa nie eine weibliche Gestalt einen solchen Eindruck auf Sie, daß Sie nur an sie dachten?«

»Allein, liebe Glossen, ich weiß nicht, warum wir die Zeit so unnütz vergeuden, die wir der Liebe widmen könnten.«

Damit schloß ich sie in die Arme und fuhr mit der einen Hand in der Liebe Heiligtum.

»Ich wünsche Sie glücklich, lieber H., werde daher, nachdem ich weiß, daß Sie die Ehre verletzt glauben, wenn Ihre Ehehälfte sich von einem anderen Mann umarmen läßt, den Plan, Ihnen eine Gattin zuzuführen, aufgeben. Nun verlange ich eine bestimmte Antwort, bevor ich Ihnen gestatte, was Ihnen meine Liebe so gern gewährt. Werden Sie vermählt allen ferneren Eindrükken widerstehen können?«

»Wie könnte ich das behaupten.«

»So müssen Sie Ihrer Gemahlin gleiche Rechte zugestehen. Wollen Sie ihr also Freiheit lassen, wenn sie einen Mann bestimmen sollte, sich in seine Arme zu werfen?«

»Ja, sobald sie nur mit Klugheit handelt.«

»Nun, das wird sie, sobald sie sich frei weiß. Alles andere überlassen Sie mir. Ich will Ihre Gesellschafterin und Lehrerin sein. Sind sie damit einverstanden, so reisen wir in acht Tagen nach B.«

»Gut, wir reisen.«

Gleich am Tag darauf sah ich Julie bei meiner Glossen.

Ein junges, blühendes Mädchen von sechzehn Jahren. Weiß und rosenrot war ihr Gesicht, schönes, lokkiges braunes Haar umwallte die offene Stirn und den fleischigen Schwanenhals. Ihre Augenbrauen waren schöne, ovale Linien. Ihr braunes Auge blitzte.

Ihre schöne, römische Nase, ihr aufgeworfener Korallenmund, die niedlichen Grübchen in Wangen und Kinn, der volle schneeweiße Busen, die runden fleischigen Arme, die niedlichen Händchen, die zarten Finger mit rosenroten und weiß eingefaßten Nägeln – alles reizte mein ganzes Temperament.

»Wie gefällt Sie Ihnen?« fragte meine Glossen lächelnd, als sie fort war.

»Ein Engel ist sie!«

»So indiskret, mir das ins Gesicht zu sagen!«

»Ich denke, liebe Glossen, die Eindrücke sind unwillkürlich.«

»Wollen Sie das auch in Zukunft von Ihrer Gemahlin denken? Sie werden bemerkt haben, daß ihr Auge fordernd ist.«

»Wann sehe ich sie wieder, meine Glossen? Nur bald!«

»Sieh da, nun heißt es schon schlechtweg, meine Glossen; am Ende werde ich doch noch ganz vergessen!«

»Nein, nimmermehr!«

»Hören Sie! Unsere jetzige Modetracht verhüllt manchen gebrechlichen Körper, und die Liebe des Ehemannes erkaltet, sobald er seine Gattin entblößt vor sich sieht. Morgen Nacht soll Julie bei mir bleiben, und Sie sollen ihre ganze Figur zu sehen bekommen.«

Ich fiel meiner Glossen um den Hals, überhäufte ihren Mund mit feurigen Küssen, legte sie aufs Kanapee, und mit unbeschreiblicher Wollust schlürften wir den Becher der Liebe.

Ich konnte den anderen Abend kaum erwarten. Versteckt hörte ich jede Silbe der beiden Damen und beobachtete jede Bewegung und jede Miene.

Ich hatte Juliens ganzen Beifall. Welche Freude für mich!

Nach dem Essen liebkoste meine Glossen Julie auf alle mögliche Art, trieb ihr manche Röte ins Gesicht und machte sie ganz feurig.

»Wollen wir uns legen, liebe Julie?«

»So früh?«

»Wir können ja doch noch sprechen. Ich möchte dich gern in meine Arme schließen und deine Schönheiten ohne Hülle sehen.«

»Gnädige Frau –«

»Pst! Liebe Julie, ich bin eine Frau. Freilich ist es ein ziemlicher Unterschied, einen schönen Mann zu empfangen und an seinem Busen Wärme, zündendes Feuer zu erhalten; allein auch die Umarmung eines schönen Frauenkörpers ist nicht ganz ohne angenehme Gefühle. Komm, liebes Mädchen, zieh dich aus!«

Unter allerhand Neckereien und wollüstigen Scherzen war Julie nun ganz entkleidet. Die Weiße ihres Körpers glich dem schönsten Marmor. Sie ist mittlerer Statur, und alle ihre Glieder scheinen nach dem feinsten Ebenmaß geordnet, ihre Hüften gerundet, ihre Schenkel wohlgenährt – kurz, ein Modell zu einer Hebe. »Wäre unser H. jetzt hier, wie würde ihn deine Schönheit entzücken!«

»Ich würde mich vor ihm entblößen? Glauben Sie das, Freundin?«

»Ich denke, du bist nicht abgeneigt, seine Gemahlin zu werden?«

»Das bin ich nicht; aber ich glaube, liebe Glossen, man muß den Männeraugen nicht alles auf einmal enthüllen.«

»Du magst so Unrecht eben nicht haben; wenn wir nur verweigern könnten, nicht selbst so viel Vergnügen daran finden! Komm auf meinen Schoß, Julie!«

Sie umarmte sie, küßte sie, legte ihre Schenkel auseinander, und ich sah von fern der Liebe Heiligtum.

»Liebe Glossen, Sie werden mutwillig!«

»Wie schön und blühend hat die Göttin der Liebe deinen Myrthenhain gepflanzt.«

»Ich werde Ihre dreisten Finger strafen.«

»Wahrlich, Julie, der Eingang in deinen Tempel der Wollust ist noch unbetreten; armer H., wenn du nicht gewandt bist, soll dir die Eroberung wohl schwer fallen.«

»Wollen wir uns legen, liebe Glossen?«

»Du bist warm, Mädchen! Oh, wenn doch H. hier wäre! Du solltest in meiner Gegenwart der Liebe höchstes Glück genießen.«

»Ich wäre des Todes!«

»Den Tod der Wollust würdest du in seinen Armen sterben. Und was meinst du, Julie, wenn er wirklich dawäre, uns zugehört und alles gesehen hätte?«

»Entsetzlich!«

»Nun, mein Täubchen, fahre nur nicht so schüchtern auf. Du wirst mir vergeben; aus Liebe zu dir und zu meinem H. hab ich dir den kleinen Betrug gespielt. Er ist nichts weniger als verreist, sondern wirklich hier. Treten Sie nur vor, Herr v. H.!«

Julie sprang mit einem Schrei ins Bett und verhüllte sich ganz.

»Kleiden Sie sich nur aus, Herr v. H., ich will es bei Julie verantworten. Allein, Julie, du erlaubst es denn auch, daß ich mich auskleide und an deiner Seite Zeugin und Teilnehmerin an deinem Vergnügen bin?«

Julie schwieg.

Ich war bald ausgezogen. Julie klagte über Verräterei, schmiegte sich an die Glossen und wollte von mir durchaus nichts wissen.

»Gut, liebe Julie, wenn du nicht willst, so nehme ich Herrn v. H. zu mir und versichere dich, wenn du dich so ganz gebärdig stellst, so nehme ich dir das größte Vergnügen vor deinen Augen weg.«

Die Glossen schloß mich in ihre Arme und küßte mich wirklich so wollüstig als möglich; allein ich muß doch bekennen, daß ich mehr nach Juliens Genuß dürstete.

»Ich will nicht ungerecht sein«, sagte sie endlich und half mir über sich hin, und ich lag auf Julien, schloß sie in meine Arme und bedeckte ihr rosiges Gesicht mit wollüstigen Küssen.

Ihr Busen hob sich schwer und stark; sie glühte, und unwillkürlich entschlüpften ihr schmachtende Seufzer. Ich fühlte an ihre Wollustquelle; sie zuckte und fuhr schaudernd zusammen, als ich den Eingang des Tempels berührte.

»Herr v. H.« Sie lassen meine Julie schmachten; sehen Sie nicht ihr brechendes Auge, ihre bebenden Lippen, und hören Sie nicht ihr schmachtendes Atmen? Munter zum Kampf! Julie du sollst mir's danken; auf kleine Schmerzen folgt großes Vergnügen.«

Meine Glossen zog Julies Schenkel auseinander, und ich gelangte auf den Thron der Liebe.

Der Eingang in die Grotte der Wollust war sehr eng, aber auch sehr vorteilhaft gebaut; denn sowie die Glossen Julies Beine etwas anhob, so stand mein Amor am Eingang.

Ich schob meine Hände unter Julies volle Hinterbacken und wagte einen herzhaften Angriff. Sie schrie laut, und bei dem dritten Angriff wollte sie sich ungeachtet meiner Küsse und der Glossen Zureden loswinden. Allein ich hielt sie fest umschlossen, und der Schmerz meines Amors und die Begierde machten mich unbarmherzig; ich verdoppelte unter heftigen Schmerzen meine Angriffe, sprengte den Liebeszwinger, goß der Liebe Nektar auf den Altar der Wollust, und meine Julie lag in förmlicher Ohnmacht.

»Ein schönes Opfer der Liebe!« sagte meine Glossen. »Aber, lieber H., welch wütendes Feuer hat das Schauspiel in meinem Innern angezündet!«

Ich führte meine Hand in ihre Wollustgrotte, und ich fand Wahrheit. Ich küßte sie, und da mein Amor sich schon wieder bei Kräften befand, so wollte ich ihr Erleichterung geben.

»Nein«, sagte sie, »nicht so, es gehört Julien; will sie mir das dritte Opfer zugestehen, so bin ich es zufrieden.«

Wir deckten sie auf, besahen der Liebe Heiligtum, die

schön aufgeworfenen Lippen der niedlichen Muschel zuckten noch, und wir sahen die Spuren vom vergossenen Blut des Rosenkränzchens.

Julie schlug die Augen auf, seufzte und bedeckte ihre schönen Augen mit der niedlichsten Hand.

»Wie ist Ihnen, himmlische Julie?«

»Weiß ich's, ich glaubte, des Todes zu sein.«

Glossen: »Und leben noch! Sind Sie mit mir zufrieden, Julie?«

»Ich weiß ja nicht, wo ich bin.«

Glossen: »Lieber H., zögern Sie nicht, Julien glücklich zu machen. Jetzt wird sie fähiger sein, der Liebe beseligende Wonne zu fühlen. Nur nicht schüchtern, liebe Julie, umarmen Sie Ihren Liebling und erwidern Sie seine Liebkosungen; schämen Sie sich nicht zu zeigen, wie glücklich Sie durch seine Umarmungen werden.«

Mein Amor war kaum in dem Tempel der Wollust, als schon das Beben der Lippen und sanftes, leises Stöhnen die süßesten Empfindungen Juliens verrieten.

»A – ach! La – assen Sie – Es dämpft!«

Ihre Augenwinkel standen voll Tränen, abgebrochener Hauch war ihr Atem, und unter wollüstigem Girren brauste ihre Wollustquelle über. Ich schob meine Hände unter ihren Hintern und spielte an ihrer Spalte, und mein Amor badete sich im Nektar des Vergnügens.

»Fühlen Sie sich glücklich, süße Julie?«

»Ganz – ach!«

Jetzt brachte ich das Opfer, und sie drückte mich fest an ihren Busen. Sie girrte wie ein Turteltäubchen und sank in wollüstiges Hinbrüten. Als sie sich erholt hatte, fragte meine Glossen sie: »Nun, Julie, sind Sie mir nicht Dank schuldig?«

»Jawohl, jawohl!«

»Wie aber – wenn ich Sie bäte, daß Sie mir Ihren H. jetzt überließen? Fühlen Sie an meinem Busen; heftiges Feuer hebt ihn. Werden Sie mir eine Umarmung gönnen, daß ich auch an Ihrer Seite der Liebe Glück genieße? – Nur keine Verstellung, Julie offenherzig! Ja oder nein!«

»Ja!«

Und jetzt zog sie mich über sich hin, warf die Decke ab, schwang einen Schenkel auf meine Hüfte, stützte sich mit dem anderen Bein, und unter abwechselnden Küssen bewegte sie sich so heftig unter mir, daß der Wollustnektar aus der Quelle sprudelte.

»Ach, lieber H., gesch –«

Das Wort erstarb ihr auf der Zunge.

Ich wandte alles an, um ihr den Genuß zu erhöhen, und war so glücklich, daß ihre Quelle sich zum zweiten Mal öffnete, sobald mein Amor die Wollustschale ausgoß.

In den Armen der Liebe bemächtigte sich Morpheus meiner, und die hellglänzende Sonne fand mein Gesicht zwischen Julies Milchhügeln. Mit wollüstigen Küssen und schlüpfrigem Zungenspiel weckte ich sie, und wir genossen in entzückender Umarmung der Liebe beseligendes Vergnügen.

Nach einigen Wochen führte ich Julchen als meine Gemahlin nach Blassenheim und habe bis jetzt nur fröhliche und wonnereiche Tage mit ihr verlebt. Ich war und bin noch immer ein gefälliger Ehemann, und meine Julie erntet noch jetzt durch ihr freies, natürliches und ungezwungenes Wesen manchen Lobspruch ein. Nie hat sie die Empfindungen und Regungen ihres Herzens vor mir verheimlicht. Der junge Graf S. und der Herr v. L. machten Eindruck auf sie; ich merkte es und war der erste, der ihr riet, ihr Leben nicht durch Selbstpeinigung zu verbittern.

Meine Glossen machte bisweilen Ansprüche auf der Liebe süße Umarmungen, und meine Julie freute sich, sie im wollüstigen Taumel versunken zu sehen.

## Viertes Kapitel

# Der Verfasser empfiehlt sich

Lebt wohl, liebe junge, feurige Leser, und wendet alles zu eurem Besten an. Ich habe mich aller Anmerkungen enthalten, allein das müßt ihr nicht tun. Nur mäßiges Nachdenken wird euch auf manches weite Feld fahren, wo Ihr viele schöne Blumen verschiedener Art brechen könnt; hütet euch aber, daß ihr euch nicht in Wüsten oder Heiden, mit Dornhecken, Disteln oder Nesseln bewachsen, verirrt, welches sehr leicht ist.

Das Menschenleben ist ein flüchtiger Traum, den wir uns aber ganz angenehm machen können. Der Wein der Liebe ist so süß, so wonnereich, so entzükkend, er versetzt uns in einen unbeschreiblich seligen Zustand; allein im Übermaß genossen, zerstört er unser Wesen, und der Traum des Lebens nimmt ein trauriges Ende.

# Nachwort

Zu allen Zeiten hat es Freunde und Gegner der literarischen Gestaltung intimer Beziehungen gegeben, wobei die Polarität der Meinungen von erotobibliophiler Begeisterung bis zu puritanischer Verteufelung reichte. Meist erwuchs die Ablehnung aus der Doppelbödigkeit gerade herrschender Moralauffassungen; ein besonders bezeichnendes Beispiel aus dem Frankreich des 18. Jahrhunderts schildern die ›Memoiren des Herzogs von Choiseul‹:

›Nicht um die Welt hätten die Schloßherrschaften von Hautefontain und ihre Gäste am Sonntag die Messe versäumt. Andächtig ging alles in die Kirche. Aber man wundere sich nicht, wenn man hier und da ein Lächeln die Lippen der Betenden umspielen sieht. Jeder hat ein Buch in der Hand, aus dem er eifrig liest. Dem Einband nach ist das Buch ein Gebetbuch, sein Inhalt aber besteht aus einer Sammlung skandalöser Geschichten. Daraus macht kein Mensch ein Geheimnis. Alle diese Bücher blieben die Woche hindurch in der Kapelle zur Verfügung der Bedienten und der Wächter, die sich nach Belieben daran ergötzen konnten.‹

Die Verpönung aller Fleischlichkeit durch wirklichkeitsfremde Frömmelei und gesellschaftliche Prüderie führte zu geradezu lächerlichen Auswüchsen. So mußte noch Mitte des vergangenen Jahrhunderts Karl Gutzkow als Dramaturg am Dresdner Hoftheater bei einer Aufführung von Goethes ›Faust II‹ im I. Akt die Worte des Ritters zur Dame bei Erscheinen des Paris: ›Auf seinem Schoße wär Euch wohl bequem?‹ in: »An seiner Seite wär Euch wohl bequem?‹ abändern; diese ›Entschärfung‹ erfolgte auf ausdrückliches Verlangen des sächsischen Königshauses, das sich sonst so gern auf seinen Ahnherrn August den Starken berief, der ja nun wahrlich nicht klösterlicher Askese anhing!

Vorurteile gegen das erotische Genre haben sich bis heute erhalten, und die moderne Literaturwissenschaft ignoriert zumindest dessen thematische Komplexität völlig. Jeder weiß um die Existenz, aber man spricht nicht darüber, und wenn, dann nur hinter vorgehaltener Hand. Das ist um so unverständlicher, als sich solche weltberühmten Namen wie Aretino, Aristophanes, Bandello, Boccaccio, Gautier, E. T. A. Hoffmann, Lukian, Mirabeau, Musset, Ovid, Sacchetti, Arthur Schnitzler, Straparola, Swinburne, Verlaine und Oscar Wilde – um nur einige zu nennen – mit kräftigen Erotika verbinden. Paul Englisch als der wohl beste Kenner dieser Materie ergänzt die Aufstellung durch seinen schon 1927 erhobenen Vorwurf an die damals neueren Literaturgeschichten, ›die aus lauter Schamhaftigkeit so ganz allgemein bekannte literarische Seitensprünge unserer Dichter unterschlagen wie zum Beispiel Schillers ›Venuswagen‹, Goethes ›Tagebuch‹, die ›Priapischen Oden‹ von Bürger, Voß und Stolberg, Holteis ›Don Juan‹ und ähnliches‹. – Schopenhauer äußerte einmal in bezug auf Goethe, es habe eben vieles Platz nebeneinander im Menschen!

In diesem Sinne wird die nunmehr eröffnete BIBLIOTHECA EROTICA Meisterwerke der erotischen Weltliteratur vorstellen, künstlerische Darstellungen sinnlicher Liebe, die Jahrhunderte überdauert und bis heute weder etwas von ihrem sensuellen Reiz noch von der kulturgeschichtlichen Aussage zur jeweiligen Zeit verloren haben.

Die ›Denkwürdigkeiten des Herrn v. H.‹ entstammen einer Zeit, da der spielerisch-anmutige Reiz der erotischen Schriften des Rokoko-Zeitalters mehr und mehr der geist- wie geschmacklosen Zotigkeit gewichen war, mit der spekulative Verleger ein breites Publikum suchten und fanden. Zu den wenigen andersgearteten Werken, die dieser Niederung entwuchsen und als einzige überlebten, zählt der vorliegende Roman.

Wie bei vielen der auf eine literarische Außenseiterbahn gedrängten Erotika liegt auch bei diesem Titel die Entstehung in editorischem Dunkel. Zwar konnten für den bei der Erstveröffentlichung genannten fiktiven Verlagsort Rom berichtigend Berlin und Hamburg nachgewiesen werden, doch wird die Autorenschaft in endgültiger Schlüssigkeit wohl weiterhin ungeklärt bleiben.

Schon bald nach Erscheinen des anonymen, damals bis auf zwei Vignetten unillustrierten Buches wurde dieses dem in Dresden am 25. März 1766 geborenen und am 30. Juli 1839 verstorbenen Friedrich Gustav Schilling zugeschrieben. Er war ein außerordentlich produktiver und zu seiner Zeit nicht nur in Deutschland vielgelesener Literat, dessen Gedichte in Schillers ›Thalia‹ ebenso Aufnahme fanden wie in Wielands ›Neuen Teutschen Merkur‹; sein Gesamtwerk in ›rechtmäßiger Ausgabe letzter Hand‹ (1828 bis 1839) umfaßt immerhin achtzig Bände mit hundertsechsundneunzig Erzählungen, Romanen und Possen – allerdings ohne die

›Denkwürdigkeiten des Herrn v. H.‹, deren umstrittener Urheberschaft er bezeichnenderweise das eigentliche Überdauern seines Namens verdankt.

Vieles spricht für die Annahme, daß Schilling der Verfasser dieses Erotikons ist, so seine 1781 im kurfürstlich-sächsischen Artilleriekorps begonnene Militärlaufbahn, die ihn 1788 Leutnant werden, 1806 an der Doppelschlacht bei Jena und Auerstedt teilnehmen und nach der vernichtenden Niederlage gegen die napoleonischen Truppen als Hauptmann 1807 den Abschied nehmen ließ, vor allem aber seine zum Teil recht ›freien‹, offiziell verlegten Schriften, die sich allein schon durch Titel wie ›Röschens Geheimnisse‹ (1798/99), ›Clärchens Geständnisse‹ (1799), ›Julchens Schwachheiten‹ (1801) oder ›Felixens Abenteuer und Liebschaften‹ (1802) kennzeichnen. Auch die kritische Einschätzung des zeitgenössischen Literaturhistorikers Karl Goedeke, Schilling sei zwar ›in der Wahl der Stoffe flach‹, aber ›in der Erfindung nicht ohne Talent, in der Darstellung lebhaft, mitunter launig, mehr noch spaßhaft, im Stil leichthin, genau mit den Schwächen und Armseligkeiten der Menschen bekannt‹, stützt diese Hypothese. Andererseits trägt zumindest die Tatsache, daß der Genannte bei Erscheinen des Buches erst einundzwanzig Jahre alt war, berechtigte Zweifel in die vermutete Autorenschaft an dieser sich als abgeklärte Reminiszenz darbietenden Schilderung, wobei allerdings auch die vom Wunsch als Vater des Gedankens beseelte dichterische Phantasie Pate gestanden haben könnte.

Wie dem auch sei – geblieben sind ein bei aller Sinnlichkeit stets gepflegt artikuliertes Bekenntnis zur Lebens- und Liebeslust sowie die Gültigkeit der Einschätzung aus dem Prospekt zu einem 1908 in Leipzig edierten Privatdruck des Bandes:

›In diesen [...] ›Denkwürdigkeiten‹, die unter den deutschen erotischen Werken einen allerersten Platz einnehmen, erzählt ein junger, eleganter Edelmann und Offizier die Geschichte seines Lebens, besser gesagt, die Geschichte seines amourösen, aventiurenreichen Lebens. Ohne dabei gemein und derb zu werden, schildert er doch genau und eingehend alle Einzelheiten seines Verkehrs mit schönen Frauen, malt seine vielfachen Beziehungen und Erlebnisse in so glühenden Farben aus, daß man diesen Herrn v. H. sehr treffend als den deutschen Casanova bezeichnen kann.‹ –

Der Text der vorliegenden Ausgabe folgt einem 1919 zu Bern in nur hundert numerierten Exemplaren erschienenen Privatdruck und wurde entsprechend der heutigen Rechtschreibung bearbeitet.

*Wolfgang Schneider*